【改訂版】小説・シナリオ二刀流奥義

プロ仕様エンタメが書けてしまう実践レッスン

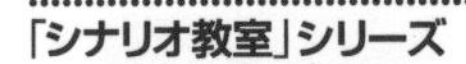

柏田道夫❖著

言視舎

改訂版　はじめに

小説とシナリオの二刀流奥義とは

ネット化＋コロナ禍で変化が加速化

本書は『小説・シナリオ二刀流奥義』の改訂版です。

本書の初版が出た際に、「メディアミックス化が加速度的に進み、小説とシナリオの垣根が低くなっています。従来の活字で読む小説と、映像の設計図としての役割が外せなかったシナリオが、ネット世界で混じり合おうとしている。」と述べましたが、近年はさらに進み、パソコンやスマホで、文章をネット上にのせるというのは日常化していましたが、ユーチューバーのように、映像や写真を流したり、ゲームもより双方向化したりと、立体化、複合化しています。

また、メディアの側の形態も大きく変わりました。小説も紙の本だけでなく、電子書籍で読む人が増えていますし、映画やドラマ、スポーツも配信などでいつでも鑑賞できるようになりました。

こうした文芸の変化は、２０２０年から世界を襲ったコロナ禍の影響でさらに加速されました。私が講師をしているシナリオ・センターでも、大学の講義同様にリモートになり、データでのやりとりが当たり前になっています。

こうしたデジタル化で、画面で読む小説の文体がシナリオのト書調になったり、朗読をネットで配信して、それを聴くといった舞台の公演まで行なわれるようになっています。

しかし、そうしたシステム的な変化はありつつ、基本的なところは変わりません。本書のタイトルとなっている小説とシナリオも、文章で表現する小説と、映像の設計図としての役割を持つシナリオでは、書き方が違います。

シナリオの手法は小説に活かせる

本書はそもそも「シナリオ教室」シリーズの『**1億人の超短編シナリオ実践添削教室**』（現在は電子書籍のみ）、さらに、『**[超短編シナリオ]を書いて小説とシナリオをものにする本**』の続編として刊行されました。加えて、最も人気があり普遍的なジャンルであるミステリーについて詳しく解説した『**ミステリーの書き方**』も出ています。

「シナリオ教室」シリーズの二冊は、『公募ガイド』誌で連載した「実践シナリオ教室」がメインになっていました。私が出した課題に従って、読者にペラ（200字詰め）3枚のショートシナリオを応募してもらい、その中から入選作を選ぶというスタイルでした。

さらにパート5では、同じ課題でペラ3枚のシナリオと、800字～1000字程度の短い小説の応募をしてもらうというスタイルの連載としました。

その連載をまとめたのが、第1章と2章、さらに第3章の「実践編・シナリオと小説作品10のアプローチ」です。

この第3章では特に、同じ課題であっても、映像の設計図であるシナリオと、小説では表現方法が違うということがよく分かります。それだけでなく、シナリオが常に追求してきた「**物語をおもしろく運ぶ」ためのテクニックを、小説に活かす術はいくらでもある**ということも理解できるようになっています。

さらに「おもしろく運ぶ」物語の構造を、長年にわたり追求し続けているのがアメリカのハリウッド映画業界です。その手法のベースとなっているのが、「**ハリウッド三幕方式**」で、現在日本でも導入されるようになっています。

第4章では、そもそもの**物語の「おもしろさ」とは何で、どうすればおもしろくできるか？**　それらを追求しつつ、この「ハリウッド三幕方式」についてのエッセンスと、これをシナリオだけでなく、エンタメ小説にも応用する方法を具体的に述べています。

さらに改訂版として、創作者になるための「読書」の方法、具体的に**プロ作家の小説から、テクニックや表現法を〝盗む〟読書術**を特別講座として述べました。

私自身、小説とシナリオの両方を書いている二刀流です。前著（元は『公募ガイド』誌面）で対談させていただいた**湊かなえさん**は、シナリオ手法を学んでベストセラー作家になりました。

また映画『超高速！参覲交代』でデビュー、小説もヒットを連発している**土橋章宏さん**、『猫弁』シリーズのドラマとシナリオを書き、『あずかり屋さん』も評判の**大山淳子さん**も、二刀流免許皆伝の直弟子です。

さらに加えるならば、長年にわたり私は講師業も務めていますので、創作を志す方々の足りないところや、犯してしまう過ちもつぶさに見ています。

そうした観点から二刀流の奥義をあますところなく述べた本こそが本書であり、これまで出ていた小説やシナリオのハウツウ本と、大きく違っています。両方からのアプローチで、どちらの創作にも役立つはずです。さあ書きましょう。

［シナリオの基本書式］

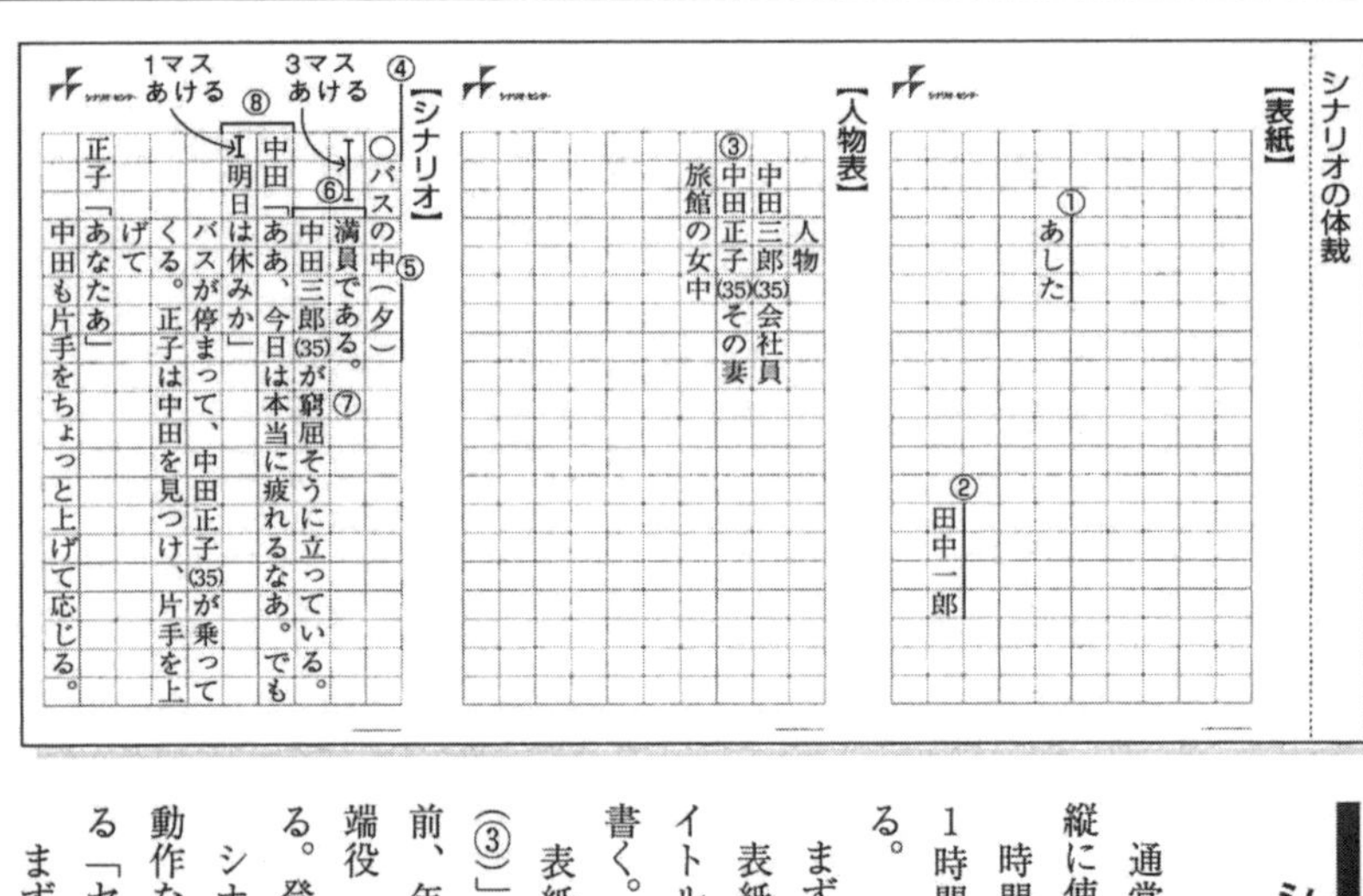

シナリオの基本書式

通常、原稿用紙は200字詰のものを縦に使用する。

時間の計算は、2枚で1分弱が目安。1時間もので約120枚ということになる。

まず、シナリオには「表紙」が必要。

表紙は原稿用紙1枚を使い、中央にタイトル（図中①）を、左端には作者名を書く。

表紙の次のページには、「登場人物表③」をつけるのが常識になっている。名前、年齢、役柄の一覧表で、主役、脇役、端役（チョイ役）、エキストラの順で並べる。登場順ではないので注意。

シナリオ本文は、場所を指定する「柱」、動作などを示す「ト書き」、役者がしゃべる「セリフ」で構成する。

まず、最初に「柱」。原稿用紙の右側に「○」を書き、そのシーンが行なわれる場所を書く（④）。これはカメラを置く場所を指示することになるので、具体的に書くようにする。

その下に（ ）をつけて「朝」「夕」「夜」を書く。「昼」は書かない（⑤）。

柱の次の行から、上3マスをあけて「ト書き」（⑥）を書く。「ト書き」では、「満員である」といった情景描写と、「窮屈そうに立っている」といった人物の動作を示す。

情景描写と人物の動作の間は、改行する（⑦）。

「ト書き」のあとに「セリフ」（⑧）がくる。行頭に誰のセリフなのか名前を入れ、その下に「 」でくくってセリフを書く。

セリフの2行目以降は上1マスあける。

PART 2　実践編1　シナリオと小説を実際に書いてみる

PART 3 実践編2 エンタメを創造する13のレッスン

PART 1

シナリオと小説の仕組み

第1章 シナリオと小説の違いを理解しよう

違いが分かれば〝二刀流〟も可

文章で物語を展開させる

「シナリオの技法（術）を活かして、おもしろい小説を書く」

これが本書の最大のテーマです。

小説をおもしろくするためのシナリオ特有のテクニックやポイントについては、第4章で詳しく述べていきます。

その前に、まずはシナリオと小説の違いを簡単に述べておきます。

シナリオと小説は、物語を展開させるという根本は同じですが、表現方法だけでなく、目的やルールなどでもいくつかの違いがあります。それを理解することで、両方に活かすことができるようになるはずです。

「そんな当たり前のこと、分かっていますよ」

という方もいそうです。ですが、小説しか読んでいない人が、書き方などの基本を知らないままでシナリオを書くと、小説表現が混在して通用しなかったり、逆にシナリオを長年書いていた人が、小説を書こうとすると、シナリオのト書調だったり、プロットのような文章となって、とても小説とはいえなかったりすることが珍しくありません。

一行小説からサーガまで

まず小説とは何か？

といったところを追求し始めると大変なのでしませんが、簡単に述べておきます。

小説とシナリオの大まかな定義や役割や機能としては、

小説＝文章によって書かれた物語

シナリオ＝文章によって書かれた物語
＋
映像のための設計図

このシナリオのプラス要素があるために、表現方法や、独特の書式の違いが出てきます。

ともあれ小説は、作者が書いた文章を（活字になったり、パソコンやスマホ画面などになり）読者が直接読みます。

まず小説は枚数によって大まかに分類されます。

ショートショート（掌編）
＝400字詰め2～20枚程度
短編
＝〃　20～80枚程度
中編
＝〃　80～200枚程度
長編
＝〃　200～上限なし

この分け方もアバウトです。わずか1行や数行の「瞬間小説」といわれるものもあります（例えば、フレドリック・ブラウンの『ノック』の全文は、〝地球最後の男がただ一人部屋に座っていた。すると、ドアにノックの音が……〟）。

短編も小説のコンクールなどでは、100枚までと規定するものもあります。

中編の分け方もいろいろで、200枚を長編とみなす出版社もあります。

200枚以上はおおむね長編とされますが、小説の長編の上限はありません。マルセル・プルーストの『失われた時を求めて』は、世界最長の小説と言われていますが、日本語訳では400字詰め1万枚に及ぶとされています。

あるいはサーガ（大河小説）といわれる小説シリーズでは、栗本薫さんが逝去するまで書き継がれていた『クイン・サーガ』は、未完ながら130巻まで続いていました。

中間小説は何と何との間？

小説はこうしたトータルの枚数による分け方以外に、読者対象別に、

童話・児童小説
ジュニア小説
ラノベ（ライトノベル）
純文学
中間（エンタメ系）小説

というような分類もあります。

童話や児童小説、ジュニア小説は、（もちろん大人が楽しむものもありますが）読者対象を子どもや少年少女に置いていることは分かりますね。

現在興隆を極めている感のあるラノベことライトノベルも、メインの読者はティーンですが、若年層を中心に大人の読者も多い。

この〝ラノベ〟の定義もはっきりと定まっていないようですが、アニメ調の表紙や挿絵があって、若年層向けの小説ということでしょうか。

この系列ではジュブナイル、ヤングアダルトと称される小説群もあって、これらも吸収するカタチで、ラノベとなっているようです。

ラノベのジャンルも、ティーンが好む恋愛、ファンタジー、SF、ホラー、学園といったものがメインになっています。小説の内容についてのジャンルについては後述します。

いわゆる大人の読者を対象とした小説では、大まかに純文学と中間小説に分けられます。この両者の差であったり、定義もややこしい。

日本特有の分類ですが、小説の最高名誉とされる文学賞である芥川賞は純文学作品に、直木賞は中間小説の作品に与えられることになっています。

中間小説というネーミングは、そもそもは（より文学性の高い）純文学と、（大衆が気軽に読める）大衆小説という分け方があって、その中間という位置づけです。それなりに文学性も高く、かつエンターテインメントの要素も多い小説のことで、現在は主にエンタメ系小説と分類されているようです。

ともあれ、大衆小説が死語化して、純文学とエンタメ系小説に大別されるようになりました。この境目、分類もかなりアバウトです。

さらには純文学の中にも、いわゆる私小説（作者自身の体験や心情を赤裸々に綴る類の小説）もあります。

「おもしろいか」「おもしろくないか」

本書は「シナリオ技法（術）を活かしておもしろい小説を書く」を追求しますが、対象とする小説としては、エンタメ系、すなわち中間小説です。

もちろんエンタメをひたすら追求しているラノベを書きたいという人も、大いにシナリオ技法は役立ちます。

問題はいわゆる純文学ですが、これも目指すなという意味ではありません。というのは一般的なイメージとして、純文学は、難解で文学的で、中間小説は娯楽性の高い小説と思いがちです。これはレッテルにすぎません。

映画も大きく「文芸映画」と「娯楽映画」という分け方がありますが、これも同様で、映画会社とかが、製作者（監督）のそれまでの傾向であったり、公開のされ方とかで便宜上分けるにすぎません。

こうした分類より、映画にしても小説にしても、私は**「おもしろい」か「おもしろくない」かのどちらかしかない**と思っています。

このおもしろさとは何か？については第4章で考えていきます。

　それはともかくとして、私小説を含む純文学の場合は、重要視されるのはいわゆる文学性（って何か？というのも大変だし面倒くさいので省略します）です。この文学性なるものが高い作品と（文学賞の選考委員とかに）認められると、いわゆるエンタメ要素はさほどなくても評価されたりします。

　例えば、登場人物であったり、作者を反映した私といった人物の心象風景、心情のみが延々と綴られた小説であっても、文学性が高いとされて、賞をもらったりすることも珍しくありません。

　こうした小説に、エンタメ的な技法を当てはめようとしても、意味がなかったりする場合もあるわけです。

　シナリオ技法が目指すのは、「いかに観客（視聴者）の心を摑み、おもしろく物語を展開させるか？」ですから、自ずとエンタメ系である中間小説を対象としてしまうわけです。

「サイコサスペンス」もミステリー

　さらにエンターテインメント系の小説も、さまざまなジャンルがあります。このジャンル分けも細かく分類していくときりがありませんし、ラブサスペンスとか、青春学園ミステリーというように、ジャンル的にまたいでいたりします。

　ともあれ、出版化される小説としては、次ページの**図A**のような分け方でしょうか。

　この中でも、特に人気の高い「ミステリー」は広義に使われることが多く、「ホラー」「サスペンス」「ハードボイルド」「冒険」といったジャンルを含んで語られることもあります。

　さらに「ミステリー・推理」には、「密室」「アリバイ崩し」「トラベル」「コンゲーム（詐欺師）」「ケイパー（強奪）」「暗号」、「歴史」、それから「倒叙もの」「安楽椅子探偵」もあれば、職業的な分類で「警察」「医療」「法廷」、内容や世界で「サイコサスペンス」「サイエンスミステリー」というようにきりがなく分類されます。

　またここでは細かく述べませんが、近年では紙媒体だけでなく、ネット系の小説が、活字を凌がんばかりに普及しようとしています。

シナリオは設計図

　これに対してシナリオ（脚本）です。

　前述したように「文章によって物語が紡がれる」のは同じですが、シナリオは大前提として、映像にするための指示書、設計図としての役割があります。

　シナリオが出版化されることもありますが、人気脚本家のものやヒット作に限られます。通常、脚本家の書いたシナリオが一般読者に読まれることはありませ

［図A］

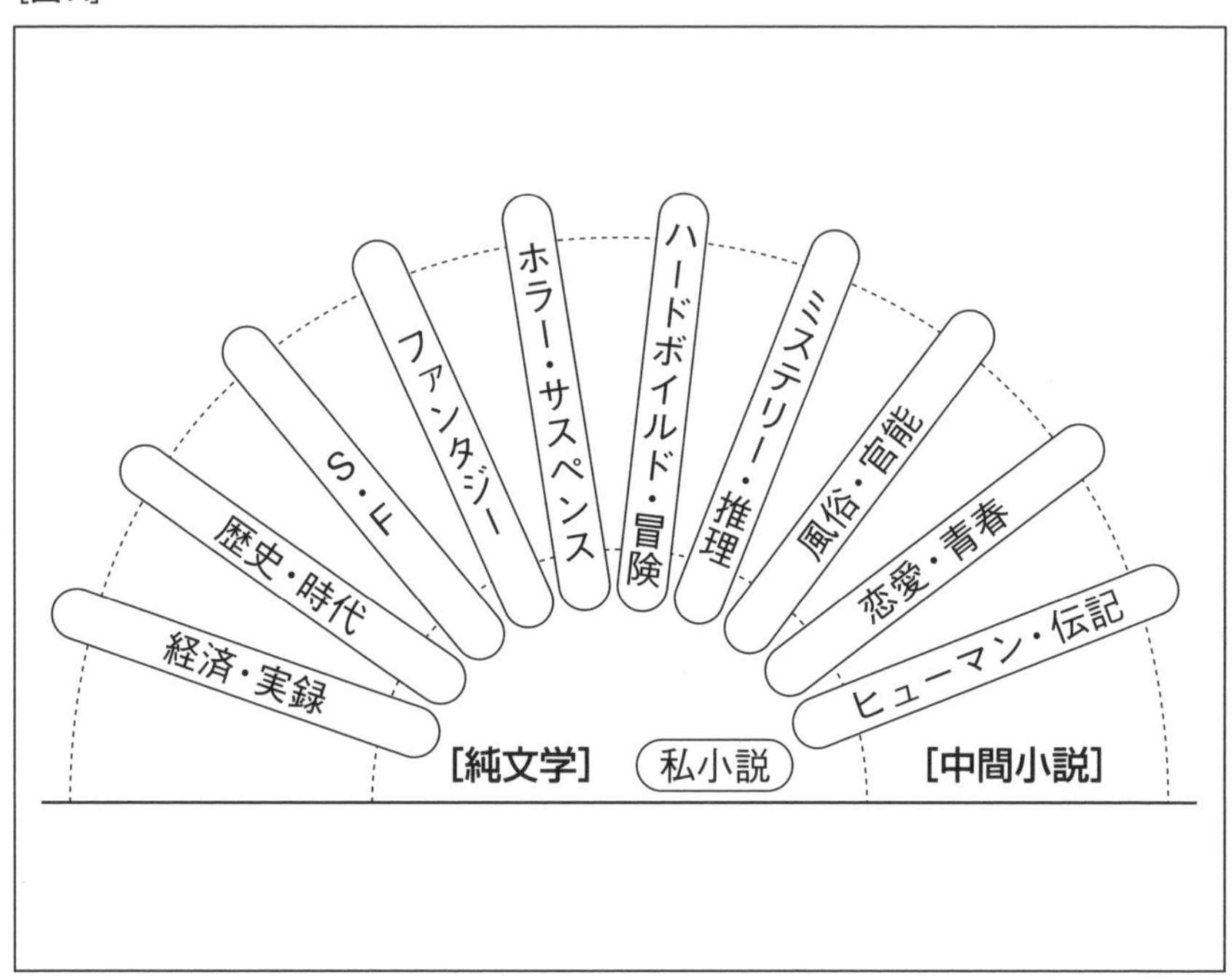

んし、一般読者に読まれることを前提として脚本家はシナリオを書いていません。

ともあれ、シナリオはそれだけでは完成品ではなく、書かれたシナリオを元に監督以下のスタッフが働き、俳優がそれぞれの人物を演じて、映像化作品となって完成します。

シナリオも映像だけでなく、それ以前に長い歴史を持つ舞台のための戯曲、台本があります。この他にも、音声で表現するオーディオ（ラジオ）ドラマ、絵で展開するマンガ原作などもシナリオを元に作られます。

こちらも近年では、ネットで公開される映像やコミック、ゲームといった作品のために書かれるシナリオも増えており、多岐にわたっています。

このように、同じ物語を描く手段としてもシナリオと小説では書き方の違いがあるのですが、インターネットの普及やメディアミックス化にともない、近年はその垣根が低くなっています。

　上記のケータイやスマホで読むネット小説、あるいは絵と組み合わせたゲームなどは、人物のセリフが中心で、これに短いト書的な文章が添えられていたりして、小説とシナリオの中間的な表現方法といっていいでしょう。

　こうしたそれぞれの媒体によって、シナリオの書き方にも違いがありますが、基本は映画、テレビドラマの手法、ルールが最良で、応用が効きます。

　書式などは4ページを参考に。

1時間ドラマか映画用か？

　小説との違いはいくつかありますが、まずシナリオは、小説以上に枚数制限が厳密に課せられます。昔からある単位としてはペラ（200字詰め）ですが、近年は400字詰めも使われ、通常400字一枚あたりで1分の映像としてカウントされます。

30分ドラマ
＝400字詰め30枚程度
1時間ドラマ
＝　〃　　50〜70枚程度
（連続ドラマ×8〜12回）
2時間ドラマ・映画
＝　〃　　100〜250枚程度

「フジテレビヤングシナリオ大賞」や「テレビ朝日新人シナリオ大賞」「創作テレビドラマ大賞」といったテレビ局主催のコンクールでは、ほぼ1時間ドラマを想定しており、400字詰め原稿用紙で50〜60枚のシナリオです。

　ちなみに、「テレビ朝日新人シナリオ大賞」は、近年リニューアルを行ない、①テレビドラマ部門（200字詰め100枚〜200枚以内）で、2020年はテーマが「ホームドラマ」というように課題が設定されました。さらに②の配信ドラマ部門（200字詰め100枚〜200枚以内）でテーマは自由となりました。

　この②の配信ドラマというのはネットで公開するドラマを想定していて、例えば一話が30分×2〜4話といった短編連作といった形式も可としています。

　このように、ドラマもまさにメディアによる多様化の波の影響を受けていて、今後のコンクールの様変わりもあるでしょう。

　話を戻すと、映画のシナリオを募集する「城戸賞」は20字×40行で40枚〜70枚以内となっています（各コンクールは主催者側の応募規定を必ず確認して下さい）。

　短編用のシナリオ募集もありますが、小説の長編にあたる500枚といったシナリオのコンクールはありません。

　もちろんテレビドラマでは、連ドラと

いわれる連続ドラマは1時間（実質45分）×10回分だったりしますし、ＮＨＫの朝ドラや大河ドラマとなると、シリーズ小説的な長編に相当します。映画も稀に前後編であったり、シリーズ化されるものもあります。これらはプロの脚本家の仕事として成立します。

シーンをまず指定する

こうしたいわゆる尺（映像化の種類による長さ）が厳密というだけでなく、設計図としての描き方の違いがあります。

書式としては、シナリオはまず場面（シーン）指定の「**柱**」を立てます。

この「柱」で場面の場所や空間、さらに（朝）（夕）（夜）といった時間（そもそもは照明の）指定をします（通常（昼）は省略）。場面が変わるたびに柱を立てます。

小説にはこの「柱」がなく（章で分ける章立てはありますが）、地の文とセリフで書いていきます。

シナリオでは、小説の地の文に当たるのが**ト書**です。ただし、地の文は何を書いてもいいのですが、ト書は設計図としての役割がありますので、基本的に映像で見える表現、人物の紹介、出入り、行動のみしか書きません。

セリフも小説では誰のセリフか、といったことは地の文で分からせるのですが、シナリオは誰が話しているかの人物指定をして、セリフの内容を書きます。

ちなみに**小説の章立て**に相当するのが、**シナリオではシークエンス**ですが、これは通常、シナリオでははっきりと指定しません。

そうした書式、ルール以外にも、当然さまざまな違いがありますし、小説ではできるけれどシナリオでは書けない表現、その逆もあります。これらを理解することで、両方がこなせますし、相互のメリット、デメリットを活かすことで、表現の幅が大きく拡がるわけです。

シナリオ、小説共に習作として書くことで、文章力、表現力をアップさせるだけでなく、さまざまなテクニックも磨かれるはず。さあ始めましょう！

第2章 シナリオテクニックをどう小説に活かすか？

レッスン1 シナリオと小説の表現の違い

小説は文章による〝描写〟

第1章では、小説の分類とジャンル、シナリオ（脚本）の特性と合わせて小説との違いを簡単に述べました。

述べたように、シナリオは映像のための設計図的な役割がありますので、シーンを示す「柱」を立て、ト書でそのシーンの状況や人物の紹介、動きなどを書いて、誰のセリフかを示す人物指定をしてセリフを書きます。

このシナリオを元に、監督（演出家）の指示に従い、スタッフやキャストによって映像にしていきます。

これに対して小説は、基本となる書式は特にありません。どのように書いても構わない。読者が作者の書いた文章を読んで、情景をイメージしたり、人物の心情を察したり、発せられるセリフを読んで展開するストーリーを追う。

通常は、いわゆる地の文と「　」でくくられたセリフで展開していきますが、中には地の文に当たる文章が、丸々**人物の語り（独白）**であったり、**書簡小説**では手紙文として書かれることもあります。人物の会話だけで進み、地の文のない小説も稀にあります。

一人称か三人称か

ただ、どのように書いてもいいとはいっても、読者にとって読みやすい文章であったり、手法としての暗黙のルール、常識といったものもあります。

シナリオと小説の違いはいくつかありますが、小説は尽きるところ**「文章による描写（表現）」**です。名文、美文を書かなくていけない、という意味ではありません。磨かれた文章であるに越したことはありませんが、要は意味なり作者の意図をきちんと表し、読者が情景や心理、人物像などが、ある程度イメージできるように書かれていればいい。

手法としては「私」「僕」といった**一人称**か、「田中は」「早百合は」「彼は」といった**三人称**か、といった人称の選択肢があります（例外的に「君」「あなた」で語りかけるような**二人称**もある）。

視点者を定めた際の視点の捉え方、表現などに暗黙のルールもあってこれが結構面倒で、初心者が苦労するところです。第3章以降でさまざまな角度から述べていきます。

"情報"をいかに伝えるか?

論より証拠、実際にシナリオと小説の表現の違いを見てみましょう。例えば、次のシナリオのトップシーン、

（シナリオ例A）

○表参道（朝）

　賑わう人たちを縫うように、高木碧（22）、髪を振り乱して走る。路地へと飛び込んでいく。

○同・ヘアーサロン「リブ」前（朝）

　ガラス張りのオシャレな店。

　碧、息を切らして来てブレーキ。入口を掃除している水野洋（50）。

碧「お、おはようございます、店長」

水野「お、そ、よ、う……まただ！」

碧「すいません、やります！」

　碧、水野の手から箒を奪う。

水野「（碧の髪を）碧ちゃん、あんたは、何になろうとしているわけ？」

　碧、必死に掃除に励む。

ここから分かることは、主人公らしい22歳の高木碧が、美容師（か見習い）で、表参道にある「リブ」という店で働いている。遅刻の常習者で、50歳の店長、水野洋に小言を言われている。さらには碧の性格も察せられます。

三人称で書いてみる

これを小説として書くとどうなるか？

例えば高木碧の三人称ならば、

（小説例A）

　高木碧は今朝も走っていた。

　朝というにはかなり遅くて、もうすぐお昼になろうとしているのだけど。

　平日ながら原宿の表参道はオシャレな若者たちで溢れていて、髪を乱して路地に駆け込む碧を珍しそうに

見送る。

――トドがいませんように。

碧の望みはあっけなく破れた。ヘアーサロン「リブ」の入口で、箒を手にした水野洋がいた。50歳ながら三つのサロンを持つオーナーで、巨体に似合わぬカリスマ美容師なのだ。

「お、おはようございます、店長」

「お、そ、よ、う……まただ」

「すいません、やります！」

碧はバッグをベンチに放り投げると、水野の手から箒を奪う。

「碧ちゃん、あんたは何になろうとしているわけ？」

水野の視線がボサボサ頭に矢のように突き刺さる。寝起きで鏡も見ずに部屋から飛び出してきた。20歳で美容師見習いになってからもう2年も経つのに。


もちろんこれは一例で、書く人によって違います。

（小説例B）


東京、原宿の表参道は平日にもかかわらず、ファッション雑誌のグラビアから抜け出たような若者たちが闊歩している。ここには美容院、ヘアーサロンがたくさんあり、「リブ」もその一軒である。

22歳になったばかりの高木碧はここで美容師をしている。その碧は今朝、といってももう昼に近いのだが、表参道の通りを走っている。


といった、場所の説明から入る方法もあるかもしれません。

一人称ならどう書くか？

一人称としての書き方だったり、セリフからなら例えば、

（小説例C）


「朝っぱらから、お前ら、群れてんじゃねえよ、どけ！　どけ！」

私はぶつぶつと毒づきながら、今朝も表参道のメインストリートを走っていた。オシャレな若者たちは、私の形相に恐れおののいて避けてくれる。

この路地を曲がるとガラス張りのおしゃれなヘアーサロン「リブ」がある。私の職場だ。

――どうかトドがいませんように。

私の願いも一瞬にして破られた。トドこと店長の水野洋さまが、箒を手に店の前を清掃されていらっしゃる。こう見えて店長は店を三軒も経営するカリスマ美容師なのだ。

「お、おはようございます、店長」

「お、そ、よ、う……まただ」

「すいません、やります！」

　私はバッグをベンチに放り投げる
と、水野の手から箒を奪う。

「碧ちゃん、あんたは何になろうとしているわけ？」

　水野店長の視線は私の頭に突き刺さっている。寝起きで鏡も見ずに部屋から飛び出してきた。美容師にあるまじきヘアースタイルに違いない。20歳で美容師見習いになってもう2年も経つのに、なんてこった。

地の文で描写する

シナリオと比べると分かりますが、小説では地の文なりセリフなりで、高木碧や水野洋といった人物の情報、年齢や容姿、人柄などを描写によって伝えなくてはいけません。例文では水野に、〝トド〟というあだ名、比喩を使って容姿をイメージさせましたが、シナリオではそうした面まで伝えていません。

もちろん、そうした個性なり情報をシナリオに盛り込む手法もあり得ます。例えば二つ目の柱を、

○同・ヘアーサロン「リブ」前（朝）
　ガラス張りのオシャレな店。
　碧、息を切らして来てブレーキ。入口を掃除している水野洋（50）。
碧「あちゃ、トドがいた！」
水野「（鼻息荒く）あん！」
碧「お、おはようございます、店長」
水野「お、そ、よ、うだ！　誰がトドだって？」
碧「すいません、やります！」
　碧、水野の手から箒を奪う。
水野「（碧の髪を）碧ちゃん、あんたは、何になろうとしているわけ？」
　碧、必死に掃除に励む。

こうしたセリフのやりとりなどで、水野や碧の容姿であったり、二人の関係性や日常などを伝えるのがシナリオ特有の表現です。

シナリオは見ているところしか書けませんので次の最後の三行

碧「あちゃ、トドがいた！」
水野「（鼻息荒く）あん！」
碧「お、おはようございます、店長」
水野「お、そ、よ、うだ！　誰がトドだって？」
　店長の水野は、巨体ゆえにトドというあだ名がつけられて

いた。

というような卜書は通常は書けないことになっています。

またシナリオの卜書は、原則として**現在進行形**で書きます。〝**碧、水野の手から箒を奪う。**〟で、〝**碧、水野の手から箒を奪った。**〟といった過去形では書かないことになっています。

これは基本的に**映像は、常に前進していて、後ろに戻れない**という特性があったためとされています。今ではリモコンで巻き戻して前のシーンを確認したりできますが、映画もテレビドラマも、観客は同時進行の物語を見るという選択しかなかったし、それが映像表現の特性になっています。ゆえに卜書は現在進行形で書かれたのです。

これに対して（日本の）小説は、文体として過去形であったり、現在形を混ぜたりといった変化をつけることが書き手の個性として求められます。

文章の度合いが違う

実際にシナリオでは、脚本家の作った人物像を俳優が演じることでヴィジュアル化されますので、物語上の必然性がなければ、水野の容姿などは書きません。水野がカリスマ美容師で、3軒のオーナーといったことは、物語を進行させながらセリフや描写（時にはナレーションといった手段も）で伝えていきます。

またシナリオでは、碧という主人公は22歳という情報（指定）だけで、容姿などは詳細には書いていません。ただ、美容師なのに髪がボサボサのままといった表現で、彼女の性格なり日常を伝えているわけです。

小説もどこまで描くか、伝えるかは作者の筆次第ですが、少なくとも人物の年齢であったり、読者がある程度のイメージが抱ける程度には描写することが求められます。

例えば、意図的に隠す場合は別にして、碧が22歳であることをどう分からせるか？　小説例Ｂのように、あるいは〝**高木碧は22歳で、原宿のヘアーサロンで美容師をしている。**〟と書いてしまっても構わないのですが、さまざまに文章を駆使して伝えようとするのが小説の表現ともいえます。

一人称だとさらに、〝私〟の名前や性別、容姿など、必要な情報をどう伝えるか、を考えなくてはいけません。これはこれで結構やっかいで難しい。

ともあれ、シナリオも小説も共通する点は、魅力的なキャラクターを造型し、ストーリーを展開させる。なにより、おもしろい物語を描くということは同じです。

第2章 シナリオテクニックをどう小説に活かすか？

レッスン2 シナリオのメリットをどう小説に活かせるか？

小説は文章による〝描写〟

さて、シナリオの技法や特徴のどういうところが小説表現に活かせるのでしょう？

シナリオの技法や表現方法のメリットを小説に応用することで、小説のクオリティは間違いなく上がります。

ただし、プラス面ばかりでなくマイナス要素もあります。シナリオ独特の手法から抜け出せないままで小説を書こうとすると、失敗することもあります。

まずは両者の違いを理解することが必須条件となります。

ともあれまずは、シナリオ表現のメリットとなる要素をあげていきます。

①「イメージ右脳」が決め手

「左・言語」「右・イメージ」

左の図Bを見て下さい。

人間の脳の左脳と右脳の役割、機能、特徴を示したものです。

左脳の主な機能は言語や論理的な事柄を司っていて、右脳は感性、感覚を主に司っています。片方というだけでなく、両脳が密接に連携しているのですが、より専門的なことは専門家にお任せです。

ともあれ私は簡単に**「左・言語」「右・イメージ」**と覚えています。で、文章を書くといった作業は主に左脳を働かせる。論理的な組み立てとか、言語を駆使して表現をする。

これに対して右脳は、直感的な発想やイメージを作る。で、シナリオも小説も言語を駆使する左脳を使うわけですが、右脳の「イメージ」こそが、優劣の決め手になります。

映像の設計図であるシナリオを書こう

[図B]

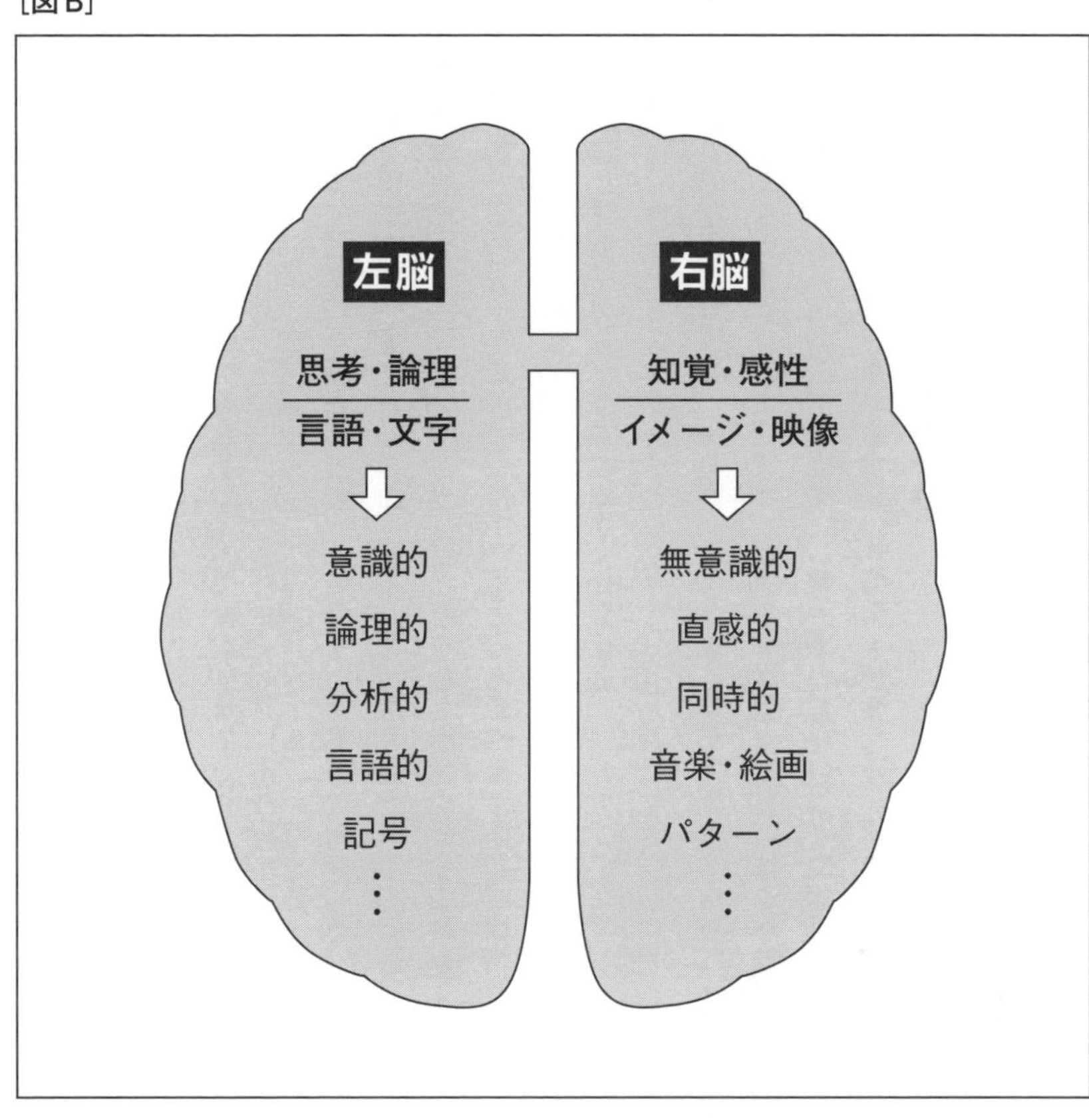

とする際、**まずシーンを浮かべるところから始まります。**実際は役者さんが演じて、監督が絵を作っていくのですが、脚本家は常に頭のスクリーンに絵を浮かばせながらシナリオを書いています。

それができない書き手はプロにはなれません。で、**小説も言語脳の左と連携するイメージ右脳を、できるだけ稼働できる書き手こそが売れる作家**になっています。

小説は論文ではない

以前、大学の歴史学者さんが書いた小説と称する長編を読んだ（読まされた）ことがあります。ほぼ全編が歴史的な記述と、書き手の考察、見解などが綴られていて、ひたすら苦痛でした。それは映像がまるで浮かばない論文調でした。

評論家、批評家といった職業の方も言語を駆使するわけですが、蓄えられた知識に加えて、左脳の分析力や論理の力がより必要とされるでしょう。

例をあげると、2015年の本屋大賞を受賞したのは上橋菜穂子さんのファンタジー小説『鹿の王』でした。上橋さんは作家ともうひとつ文化人類学者という肩書きをお持ちです。この学者としての専門的な知識を踏まえて、書かれる物語世界は実に映像的です。

ともあれ、初心者の書く小説の、特に顕著な欠点のひとつに、新書の文章のように書かれた論文調小説があります。歴史小説や時代物、自分史的な小説に目立ちますが、歴史的な背景や解説、説明が延々と続いてしまう。こうした小説は（本来小説とはいえないのですが）、大抵読者は数ページで放り投げてしまいます。

上橋さんの小説のように、架空の国の物語であっても、その空間、場面が浮かぶように書かれているかが、論文と小説の境目ともいえます。

イメージで知識欲を満たす

時代物やファンタジーだけでなく、現代物でも同じです。特殊な世界や専門性が扱われている小説で、ストーリー展開よりも、そちらの解説に枚数が費やされてしまったりしたら本末転倒です。

そうした小説は概しておもしろくない。筆力のある作家ですと、専門的な知識、情報、うんちくを並べても読者を退屈させません。

――なにかを生みだすためには、言葉がいる。岸辺はふと、はるか昔に地球上を覆っていたという、生命が誕生するまえの海を想像した。混沌とし、ただ蠢くばかりだった濃厚な液体を。ひとのなかにも、同じような海がある。そこに言葉という落雷があってはじめて、すべては生まれてくる。愛も、心も。言葉によって象られ、昏い海から浮かびあがってくる。

これは本屋大賞をとった三浦しをんの『舟を編む』の一節です。言葉を編む出版社の辞書編纂の仕事ぶりを描いていて、辞書や言葉についてのうんちくも溢れた小説です。ページをめくる手が止まらないおもしろさで、かつ読者の知識欲も満たしてくれます。この一文を読んでも分かりますが、言葉について述べながらも、読者に太古の海の情景をイメージさせてくれます。

優れた作家の文章、表現に一番の共通点があるとすると、ここに尽きる気がします。**文章を読ませながら読者に、その場面を浮かび上がらせられるか？　イメージをきちんと伝えているか？**

長年論文を書いていた学者さんや評論家さん、ずっと事務方の仕事をしてきたような人が小説を書こうとすると、使っていなかった右脳の機能が眠ったままで、ついつい理詰めの文章になってしまう傾向が見られます。

映像イメージで書く

実はシナリオも、初心者に多い欠点こそがここだったりします。シナリオはまず、場面指定の柱を立て、ト書で人物紹介や動作、描写があって、その人のセリフと展開するのですが、工夫のないシーンで、人物がダラダラとセリフで説明する。あるいは必要以上のナレーションで、背景や設定の説明で運んでしまうシナリオもあります。テレビドラマならばチャンネルを変えられるか、映画ならばあくびを誘ってしまいます。

優れた脚本家になるには、**秀逸なシーンを創り、観客をドキドキさせる描写やセリフが書けるか**なのです。

説明ではなくいかに描写をするか？ 物語を動かしながらいかにドラマとするか？ そういった脚本のキモは、習作を重ねることで次第に分かってきます。レッスンを重ねていると、映像イメージで書くことが習慣づけられるのです。それができない書き手は、いつまでたっても初心者のままです。

無意識であっても、**右脳が生み出すイメージを、左脳でどう組み立て、カタチにしていくか。**シナリオ表現はその繰り返しといっていい。

ですから皆さんも、右脳を磨くことを忘れないで下さい。視覚だけでなく聴覚、触覚、味覚、嗅覚の五感、さらには直感といった第六感も大切に。シナリオを書く時にはもちろん、小説を書いていても、常に映像イメージを脳のスクリーンに映し出せるかが決め手です。

もちろん実作者であっても、言語を駆使するのですから言語力は不可欠ですし、物語を構築する論理性、分析する力などもなくてはいけません。

ともあれシナリオも小説も、描写やセリフによって、イメージを読み手に感じさせることができるかが、作品の優劣を決定づける要因になります。そのためには日常生活からイメージ右脳を鍛えておく必要があるのです。

②構成（ハコ書き）を作る

決まった尺の中で展開させる

シナリオは枚数制限が小説に比べて厳しいと述べました。1時間ドラマならば、400字詰め50〜60枚程度、2時間の映画ならその倍、さらには長編に当たる連ドラであっても、その回の中でおもしろく展開させ、次回に繋がる伏線を入れたり、期待を繋ぐ事件を起こしたりしなくてはいけません。

決まった尺（枚数）内で、どうエピソ

ードをつなぎ、おもしろく展開させるかといった「構成」が大事になります。

これも実際にシナリオを書き始める前の段階で、どこまで構成を作るかは脚本家のタイプで異なりますし、ジャンルによっても手法が違ったりします。

通常は脚本家は**ハコ書き（構成表）**を作ります。全体の流れを一覧表にして、ひとつのシークエンスにシーンを箇条書きにしていく。

こうすることで全体像を俯瞰で眺められる。客観的に眺めることで、ハコの段階でシーンをカットしたり、入れ替えたり、加えたりといった推敲がよりできるわけです。

この構成の過程を経ることで、できるだけ無駄なく、おもしろい方向性を探っていきます。シナリオは映像のための設計図と述べましたが、**ハコ書きは設計図を書くためのラフスケッチ**のようなものです。

ハコではなく簡単なプロットとしてまとめる人もいます。実際の映像製作の現場では（脚本家で違いますが）、このハコ書きやプロットの過程で、ミーティングを重ね、直しを重ねた上で、ようやくシナリオ化という流れを経ます。

ハリウッド映画は三幕構成

もちろん、シナリオ化の段階で、人物たちが動き出すことで、ハコ通りにならない場合も往々にして起こります。それでも最初のハコ書き段階があることで、大まかな地図として道に迷う確率が低くなります。

このハコのポイントと小説への活かし方は、第4章で詳しく述べます。

どこまでハコなり、全体の構造を決めた上で書くべきか、というのも書き手によるとしか言いようはないのですが、シナリオの創作、エンターテインメント系の作品は特に、ある程度の構成を立てた上でシナリオ化することが求められます。

ハリウッドが製作するエンタメ系の映画は、分業化やいわゆる**「ハリウッド型三幕構成法」**にのっとって、シナリオを練り、世界マーケットへの対応を図っています。

その是非はともかく、小説もよりエンタメを目指すならば、読者を退屈させずにおもしろく物語を運ぶ構成が欠かせないステップとなります。

この手法なりポイントを小説創作に活かさない手はありません。

③人物（キャラクター）を造型する

人物造型からスタートする

シナリオであろうが小説であろうが（あるいはネット系のノベルやゲームな

どであろうが）、その物語の中で生きていて、ストーリーを展開させる**登場人物の造型**がポイントになります。

これは①の映像イメージとも関わるのですが、場面（シーン）が見えるように書くというシナリオの原則は、場面の場所なり空間がイメージできるか、というだけでなく、その**場面にいる人物として読み手（観客）に具体的に浮かぶか**、という意味でもあります。

もちろん、シナリオで書かれたト書で、人物について「ブランドものスーツに、のりのきいたシャツにはダイヤのタイピン、数十万はするイタリア製の靴はぴかぴかに光っていて……」というような細かい描写をすべきという意味ではありません。

いちいちそんなに細かいト書を書いていたら、枚数がいくらあっても足りなくなり、設計図とはいえなくなってしまいます。ただし、その人物が高級志向の成金で、といった造型だとするならば、それが伝わるような場面を設定し、そのようキャラクターだ、ということを分からせる。

そうしたディテールも含めて、シナリオでは**脚本家は主人公以下、主要人物の造型から始めます**。構成と同様に、どこまで作り込むかは書き手によって違います。それも主要人物と、一度しか出ない脇役とでは、当然掘り下げ方が違ってきます。

ともあれ、**「履歴書を作る」**といった言葉がありますが、何年に生まれてどういう育ち方をしたのか、といったことを人物ごとに書いていく作家もいます。

どこまで作るべきか、という決まり事はもちろんありませんが、少なくとも登場する人物が「こういう人間なのだ」と作者がイメージできるくらいには作るべきでしょう。

読者に人物像を伝える

小説もむろん、キャラクターが重要です。登場人物、特に主人公の人物像、考え方や嗜好、経験、生い立ちなどを作者は作り、それらを次第に明らかにしながら、物語を展開させていきます。

根本のキャラクター造型という点では変わりませんが、ジャンルなどによっては、造型の具体性が読者に委ねられる印象が小説は強くなります。やはり文章表現のみで書かれるために、読者はさまざまに人物のイメージを作り上げながら読み進めるようです。

こうした小説の特性ゆえに、その映像化作品が生まれると、演じる俳優のイメージが違うといった反応が多く起きるわけです。

ともあれシナリオは、まずキャラクター造型が作品の方向性であったり、おもしろさのベースになります。述べたようにシナリオは、映像化されて完成品となりますし、観客（視聴者）が目にするのは役者さんが演じている人物ですので、よりリアルになります。

　脚本家も現場では「あて書き」といって、当初から役者が決まっていて、その人が演じることを前提にして書くことも増えてきます。あるいは、**「イメージキャスト」**をした上で、シナリオを書いていくこともあります。

　ともあれ、小説創作においても、シナリオ的なキャラクター造型法を取り入れることで、より立体的で魅力的な人物を登場させることができるはず。シナリオにおけるキャラクター作りのポイントなどは後述します。

④セリフを徹底的に磨く

聴覚と視覚の差が出るセリフ

　これは人物造型とも関わりますが、物語でその人物に何を言わせるか？　どういうセリフを書くか？　シナリオではこの「セリフ」のよしあしがとても重きをなします。

　さらにシナリオはよっぽどの作者の思い入れがある場合を除いて、**長セリフはできるだけ書くべきではない**、という暗黙の了解があります。

　その理由はいくつかありますが、まず登場人物がダラダラと長いセリフを喋ると、冗漫な退屈な場面になりがちです。

　映像の場合は、人物が喋るセリフを観客は耳で聞き取るわけですが、長いセリフの内容に耳を傾けて集中するのは限界があります。一つのセリフの中に、さまざまな情報であったり、大切な主張、いわゆる決めセリフなどがいくつも入っていると、観客は全部を理解できないかもしれません。

　そのためにシナリオでは、たった一言のセリフであっても（だからこそ）、できるだけ短く、大切なことが観客に伝わるように練り上げます。

　もちろん、人物に演説をさせたり、大切なことをとうとうと語るという場合もあります。こうした長セリフによる見せ場のシーンはなおさら、脚本家はセリフを磨きますし、長いセリフの中に〝……〟を入れたり、カッコ（　）ト書で、喋り手のアクションを入れたりして、リズム（間）を考えてセリフを書きます。

　また、こうした見せ場としての長セリフは、その人物を演じる役者の演技の見せどころにもなります。その役者が心をこめることで、セリフは観客の心に響くのです。

ともあれ、脚本家はセリフを書く際に、たった一言のセリフであっても、その言い回しでいいか、他に伝える言い方はないか、あるいはセリフではなく伝える表現がないかと考えます。こうしたセリフの技法やポイントなどは第4章で詳しく述べます。

小説は文字情報を活かせる

さて小説は地の文とセリフで書かれるのですが、作者はシナリオほどひとつのセリフに神経を注ぐということはないように思えます。

小説で書かれるセリフは、役者さんがそれを喋ることを想定していませんし、読者は自分のペースで読めます。繰り返し読み返すこともできます。

また、耳から入る情報量よりも、読むことで得られる情報のほうがはるかに密であり、多くの内容を伝えることができます。長セリフであっても、読者には苦にはなりません。

また日本語は便利で、特に**「漢字かな交じり文」**という特性で、情報の伝わり方が違ってきます。例えば、

「あのコウイは間違いだよ」

といったセリフを耳に聞いた場合と、

「あの行為は間違いだよ」

「あの好意は間違いだよ」

のどちらの字を当てるかで意味が違ってきます。あるいは、

「あの人のイハイは?」

というセリフに〝位牌〟〝遺灰〟のどちらの字かで様相が変わってきます。

また「人情話」と「刃傷話」では、音は同じでも正反対になりそう。

このように読み言葉の場合は、漢字の使い分けによって、一瞬で読者は理解することができるわけです。

ですので、小説に書かれるセリフを、常にシナリオのように書くべきだという意味ではありません。ですが、小説においては地の文同様に、セリフも思うままに書き連ねていいということでもない。

優れた小説は文章同様に、書き手はセリフも磨いていますし、その取り組み方で書くことで、小説自体のクオリティを高めることになるはずです。

⑤エンターテインメントテクニック

ミステリー手法を使う

脚本家がシナリオを書く際、常に「観客(視聴者)」を意識します。シーンを思い浮かべながら書いているのですが、登場人物を動かしたり、セリフのやりとりをさせながら、観客をいかに物語に引っ張りこめるか? 乗せられるか? 人物に感情移入させられるか? 感動させ

られるか？　あるいはいかに観客を騙せるか？　驚かせられるか？　反発させられるか？　悔しい思いにさせられるか？　などなど……

　要はいかに**観客を物語の世界に導けるか**、なわけですが、そのために意識的、無意識に限らず、さまざまなテクニックを駆使します。プロの脚本家は、そうした術を身につけていて、過不足なく発揮できる人という言い方もできます。

　具体的なシナリオテクニックは第4章で述べますが、例えば「**伏線**」。英語ではアンダープロットというように、物語の中に潜ませておく要素です。

　例えば、32歳会社員の今井賢太がマンションの自宅に帰ってくる。明かりはついたままなのに妻の真由はいない。料理が作り掛けのまま。「スーパーにでも行ったのかな」と今井が独り言。しかし、その夜真由はついに戻ってこない……。

　こうしたトップシーンだとして、妻失踪の謎、あるいは以後の展開をさせるために伏線を張っておきます。書きかけのメモが残されている。真由のケータイは持って出ているのか？　あるいは置きっぱなしなのか？　持って出ているとすると、繋がるのか？　置いていったならばメールなり着信に手がかりがあるか？　さらには作りかけの料理は何で、そこに失踪の秘密があるのか？

　どういう伏線として潜ませるのかはともかく、以後に繋がる何かを描写として散りばめていきます。

　このいきなりの妻失踪の物語が、それこそ『ゴーンガール』のようなミステリーならば、さまざまな工作としての伏線を張り巡らせて以後の展開へと運んでいくわけです。

　でもミステリーではなく、離婚をテーマにしたホームドラマだとしても、物語をおもしろく運ぶテクニックのひとつである、「**ミステリー**」の要素が活きてきます。実は真由は料理を作っていた時に、夫の愛人からの電話で浮気を知ってしまった。怒りに任せて、あるいは治めようとして、家を飛び出したのだ、というような。

ミステリーがおもしろさを導く

　謎であったり秘密を提示して、読者を引っ張るミステリー小説には欠かせませんが、コメディであろうが、ヒューマンドラマであろうが、絶妙な「伏線」、謎の提示や解答、読者の予想を超える意外性といった「ミステリー」特有のテクニックの出来が物語をおもしろく運ぶポイントになります。

　こうしたエンターテインメントのテクニックは当然、小説にも役立ちます。

　ただ、ミステリーとかではないジャンルの小説を書こうとする書き手は、あまり意識して、そうしたテクニックを駆使しようとは思わないのではないでしょうか。

純文学系の小説ならば、文章のクオリティであったり、その作者だけが醸し出せる世界といったことで完成するかもしれません。けれどもヒューマンドラマであっても、おもしろく運び、読者を物語世界に誘いこめるに越したことはありません。

もうひとつ、シナリオがエンターテインメントテクニックを必要とするのは、表現方法の違いも関連しています。

シナリオのト書は、見えている現象でしか書けません。つまり真由が失踪した事情であったり理由を、ト書で「夫賢太の浮気を知ったからであった。」と書けません。小説は地の文とかでいくらでも書いてしまえますが。

ともあれ、シナリオで駆使されるおもしろくするためのさまざまなテクニックを知っておくことで、小説にいくらでも応用が効きます。知っておいて損はない、どころか、身につけることであなたの小説は格段におもしろくなるはず。

⑥ドラマ性を追求する

「劇的」が感動を呼ぶ

ドラマとは何か?

また面倒な難しい課題を掲げてしまいますが、シナリオではもう耳タコ的に、出てくる言葉が「ドラマ」です。「ドラマになってない」とか「もっとドラマチックに」というような。

この定義はともかく、そもそも演劇、お芝居の世界から来ている用語で、「ドラマツルギー」というと、「作劇理論」とか、「劇作術」と訳されます。

「ドラマ」は「演劇」そのもの、もしくは「劇」と訳されたり、激しく人物の感情が揺さぶられたり、ここぞという見せ場は**「ドラマチック」**で、意味は**「劇的」**となります。

シナリオではジャンルを問わずに、このドラマ性の有無が、その作品の優劣の基準になったりします。それはなぜかというと、**ドラマ性が高まることで、観客に感動を与えられる**からです。逆の言い方をすると、観客はそれを求めて映画やドラマを見るのです。

ちなみに、この感動というのもいろいろとあります。心揺さぶられて涙を流すというだけでなく、大笑いしたり、怒ったりすることも感動の形態です。いわば**「カタルシス（浄化、感情の解放）を与える」**。

ともあれ、観客をそうした心情に運ぶためには、さまざまなテクニックはもちろんのこと、劇的な場面、局面をどう作れるか？　人物たちの感情が揺れ動いたり、何かをかけて必死に戦わせたりすることで得られます。これこそがドラマチックな展開なわけですが、実は簡単ではありません。

ドラマは複合要素で成立する

ドラマチックにしろ、というと、派手なアクションシーンであったり、人物同士が怒鳴り合う展開にすればいいと勘違いする書き手もいますが、そんな単純なものではありません。ドラマにするためには、人物造型であったり、そこに持っていくための運び、場面としての独自性といったさまざまな要因の積み重ねで、ようやくドラマが描けるのです。

小説もこのドラマ性の追求という点では同じです。作者は登場人物に運命であったり、感情を託してドラマ的局面に運ぶ、放り込むことを目指してストーリーを展開させていく。

短編であろうと、長編でも特に物語の終盤、クライマックスがあって何らかの結末を迎える。ここでドラマ性が高まり、**読者にカタルシスを与えられるかが、その小説のよしあしを決定します。**

当然、書き手はここを目指して物語を紡いでいき、最高潮になるように進めていきます。それはそれとして、「ドラマ性を高める」という意識はさほど抱いていないかもしれません。

シナリオ的な発想で、ドラマ性のポイントを理解して、これを応用することで創作に活かしてほしいのです。

⑦シナリオ的発想法

自由は発想を妨げる

アイデアの生み出し方。

これはもう人それぞれで、これだ！という決定的な方法はありません。あれば誰もが作家だろうが、発明家だろうが、実業家だろうが、どの世界でも一流のアーティストになっているでしょう。

ベストセラーを次々と生み出す小説家、あるいは売れっ子脚本家という人には、その人なりの発想法なり、アイデアの生み出し方があるはずで、それを真似たところで、同じように売れっ子になれるはずもありません。

そう断言してしまうと元も子もないし、話が終わってしまいます。そこでかなり無理やりですが、アイデアの作り方のヒントとなる、それも**「シナリオ的発想法」**を述べてみます。

というのは、小説を書いていて行き詰まった人、あるいは小説を書く際に、シナリオ創作のお約束であったり、手法を使うことで、思わぬ突破口が見いだせるかもしれないからです。

これまでこの項で述べてきたことと重なるのですが、我慢して聞いて下さい。

シナリオと小説の違いですが、述べてきたような点があり、そのためにシナリオは決まった書式や知っておくべきルール、常識というものがあります。これに対して小説はより自由です。

これはプロたちによる仕事の仕方においても、この自由度の差があります。小説の場合も程度の差はあるのですが、おおむね、

編集者→作家→出版→読者
（発注）（執筆）（流通）

という流れですね。発注のされ方も書き下ろしですと、そのまま出版化されて本屋さんに並んだりしますし、文芸誌などにまず活字として掲載されて、それが本になって、というケースもあります。

編集者（もしくは出版社）の意向があって、「今回は60枚くらいの短編でお願いします」とか「そろそろまとまった長編のミステリーを出しましょう」といった注文のされ方をされます。

作家と担当編集者のそれまでのつきあいの長さや力関係とかで違いますし、編集者側からその作家さんの資質なり、これまでの傾向をかんがみて、「今度はこういう題材で書いてみませんか？」といった具体的な提案をされる場合もあるでしょう。

逆に作家のほうが「こういうアイデアがあるんだけど、書かせてくれる？」というお伺いを立てることも当然あります。その際に「うちではそれは出せません」と断られることも。

発注の仕方がまず違う

それはともかくとして、何を書くか？という題材やアイデアに関して（さらには枚数なども）、比較的ですが作家の主体性が認められているのが小説の世界といえます。

これに対してシナリオの（主体性はともかくとして）自由度は、小説に比べると格段に制限されます。

もちろんこれも作家さんによって違います。名前がブランド化している、いわゆる大御所ならば、「こういう映画（ドラマ）を書きたいんだけど」とプロデューサーに持ちかけてそのまま実現することも（数としては圧倒的に少ないのですが）なくはない。

それにしても映像化というのは、小説の出版化に比べると、より多くの資金であったり、動かす関係者の数が桁違いに増えますので、作家が「書きたいもの」に対してさまざまな**制限（条件）**が加わります。

両者の自由度に差があると述べましたが、実際シナリオを映像化作品とするには、より多くのさまざまな「条件」が課せられるわけです。

小説のほうが自由ならば、そっちのほうがいいと思うかもしれません。そう思うならば、どうぞ小説への精進を一心不乱に続けて下さい。

でも当たり前ですが、小説もシナリオも、作家として認められるのは簡単ではありませんし、どっちがよくてどっちが楽だ、なんて比べられるものではない。どっちも大変だし、プロになるには一筋縄ではいきません。

話を戻すと、小説は条件も緩かったり、自由に書けるならば、そっちが書きやすいか？

これが曲者です。

私はいくつか発想のヒントとなるアプローチ法をこれまでも述べてきましたが、実はアイデアを出す一番のポイントは次の二点です。

・〆切
・条件

「いつまでもいいので、書きたいものを書いて下さい」と注文されて、傑作を生み出せる作家こそ、本当の天才中の天才ではないかと思います。あるいはとても意志の強い書き手。

「〆切」は英語にすると「デッドライン」、直訳すると「死線」です。

「〇月〇日までに、絶対に原稿上げて下さい！」という通達がなければ、いつまで経っても書こうとしないのが絶対多数の書き手です。

それも「何でもいいので」というのが実は厳しい。「泣けるラブストーリーで書いて下さい」とか「〝母の遺したもの〟というテーマで30枚の短編でお願いします」という条件を提示されたほうがアイデアは浮かびやすいのです。

実践でしか上達はしない

少し私ごとというか、内輪ネタを具体例として紹介させていただきます。

私は長年シナリオ・センターで、脚本の書き方を教えています。シナリオ・センターは、脚本家を養成するスクールとしては最大手ですし、実際に質量とも多くの脚本家を世に送り出しています。

主だったシナリオのコンクールでは、必ずといっていいほど受賞者にシナリオ・センター受講生（もしくは元受講生）が入ります。プロとして活躍している脚本家も圧倒的にＯＢ、ＯＧで占められています。

どうしてシナリオ・センターがそれほどまでに強いのか？

その秘密は徹底した実践主義、それもいわゆる「20枚シナリオ」システムだからです。

「シナリオなんて書いたこともない」という初心者からを対象に、まずは基礎講座で、シナリオの書式やルール、小説表現との違い、さらには映像表現の特長、セリフや構成といった、シナリオ創作で知っておくべき最低限の知識、テクニックをお教えします。

それもただ講義だけではなく、必ず宿題が出され、シナリオとして書いていただきます。最初は「〝ハンカチ〟を使ってペラ（200字詰め）で8枚書いて下さい」というように。本当に短いデッサン的なものを書くことで、シナリオ独特の手法を徹底的に身につけてもらう。これが「条件」に当たります。当然「来週まで」という「〆切」も課せられます。

講座で次第に枚数が増えていき、最終的に20枚シナリオになります。さらにその上のゼミ教室で、徹底的にこの20枚シナリオを書いてもらう。

課題が発想のキーになる

毎週の課題があります。例えば「雪」とか「結婚式」「裏切りの一瞬」、さらには後半になると「コメディ」「ホームドラマ」といったジャンル、「刑事」「医者」といった職業ものを書けという課題も出されます。こうした課題をもとに30～50作もの20枚シナリオをひたすらゼミで書き続けます。

20枚シナリオというのは、分数に換算するとせいぜい10分です。いわばショートフィルムで、実際に1時間ものであったり、映画の脚本を書くプロの現場で書かれることはほとんどありません。

そうした実用性に乏しい習作を書かせるシステムに、疑問を投げかけたり、批判をする人もいます。そういう人はほぼ100%部外者です。

スクールによっては受講する1年間とかで、担当講師の指導のもと卒業制作的にまとまった脚本を書かせるところもあって、それはそれで間違いではないと思います。書き手の資質であったり、講師との相性、的確な指導がなされることで、完成度の高い作品が生まれることもあるでしょう。

ですが体験として断言できるのですが、1年を通して、長編を1、2作完成させるよりも、**習作としての20枚シナリオを30本書いた人のほうが、書き手の腕、テクニックがはるかに身に付きます。**習作であっても（習作であるがゆえに）、ゼミで発表し揉まれることで、書き手は実践を積むことで、自身の欠点を自覚したり、伸ばすべき長所を発見したりする。**数をこなすことで、シナリオ固有の手法、映像としての表現を身につけていくことができる**のです。

この20枚シナリオの学習法は、シナリオ・センター創立者の新井一先生が生み出した独自のシステムですが、上記にあげた成果であったり、プロとしての実績が証明しています。

で、20枚シナリオの学習システムは、シナリオのテクニックを実践として身につけるというメリットだけではなく、発想としても効果的なのです。つまり、「20枚以内で〝古痕〟という課題で書きなさい」という条件を課すことで、書き手は、それをとっかかりとしてアイデアを探ることができる。

条件から発想する

シナリオ・センターで学んだ元受講生が現場でも活躍できるのは、このシステムで揉まれた経験が役立っているからです。それも多くの現役たちが証言してくれています。

実際、映像製作の現場では、脚本家により現実的な条件が課せられます。それがあまりに過酷すぎてトラブルに発展するということもありますが。

それはそれとして、脚本製作の大まかな流れを記したのが、121頁の第4章の表です。この中の取材であったり、直しの過程だったりは小説も同じでしょう。

このネタの収集から条件による発想法は、後述します。

ともかく、シナリオは厳しい条件が課せられるがゆえに、それが書き手の発想のツボを刺激する役目になります。条件が厳しければ厳しいなりに、脚本家は知恵を絞り、よりよい方法を探ります。探らざるを得ないゆえに、より優れたアイデアが生み出されるわけです。

近年、「小説を書いていたが壁にぶち当たり、シナリオを学びに来た」といった動機をあげる人が増えています。

シナリオ的な手法を学ぶことで、というだけではなく、シナリオを成立させるために条件から発想するという訓練を積むことで、小説にも活かせるのです。

PART 2

実践編 1
シナリオと小説を実際に書いてみる

第3章 添削講座 シナリオと小説作品10のアプローチ

レッスン1「入口」

「入口」からどこへ向かうのか

ト書で書けないこと

ここからは、『公募ガイド』誌で連載していた「実践シナリオ・小説教室」を取り上げます。

「はじめに」でも述べたように、この連載では毎回課題を出して、まずペラ（200字詰め）3枚（600字）のシナリオを応募してもらい、次の号で400字詰め2〜2枚半（800〜1000文字）の小説で書いてもらうという試みでした。

これをじっくり読むと、シナリオと小説の表現の違い、両方の特徴を理解した上で応用することで、作品の質が著しく向上することが分かるはず。

第1回目の課題は「入口」でした。まずは600字のシナリオです。

応募作の中に数本、小説的な書き方の作品がありました。基本的にト書は映像の指定です。場面に写っているもの（それも全部を書いているとキリがないので、必要なものだけ）、誰がいて何をしているのかといった、人物紹介や行動などを簡潔な文章で書いていきます。キャメラが写せるものです。今回だと、

> ○オフィス街の一角
>
> 内定者懇談会出席のため、伏見は内定した会社に向かっている。
>
> こちらに向かって歩いてくるのは、面接官だった人間。面接の時に話が弾んだことをよく覚えている。

基本的にシナリオは、人物の初出はフルネームで年齢も書きます。

このト書が小説の地の文になっています。ト書は見えている動作や描写だけで

すので、伏見のその前の事情やどこへ行こうとしているか、面接官との過去のことなどは書けません。例えば、

> リクルートルックの伏見明（21）が歩いている。
> 早良元親（29）とすれ違いざま、
> 伏見「あの、早良さんですよね？」
> 早良「あ、君は面接の時の」

といった書き方になります。ほかにも、

> 今井吾郎（24）は塚田誠（24）に結婚の申し込みの立合を頼まれ、渋々承諾した。

というト書もありました。また

> 私（12）はA君（13）と二人きりで歩いている。

というのも。

小説では〝私〟という一人称はありですが、シナリオは（自分で演出する実験的な映像作品とかは別にして）三人称です。チョイ役（端役）を〝男A〟や〝学生B〟と指定する場合もありますが、ある程度、主人公とからむ人物には名前をきちんとつけてあげましょう。

小説では地の文でどんな説明もできてしまいますが、シナリオは映像で見える（映せる）描写やセリフだけです。

そうした表現で、人物の事情なり心情を読み手（つまり観客、視聴者）にいかに伝えられるか？　さらに共感させ、感動を導けるか？　これこそがシナリオの醍醐味なのです。

心情、事情をどう伝えるか？

さて、「入口」という難しい課題で、シナリオ表現を駆使したドラマが描かれている作品を選びました。

以前ドラえもんを実写化したCMで、「出口は入口なんだ」といったセリフがありましたが、そうしたテーマ性の作品が目立ちました。

人生に絶望した人物がそうした場所、状況（入口）から再生するというような。実際のドアなり扉といった場所で、という作品もありましたが、この場所が未来への入口だ、といった象徴としての作品も多数。

優秀作としたK・Eさんの『決断』。クリスマスに華やぐデパートの軒下で、一人寒そうに手を擦り合わせ立っている小林美帆（32）。

美帆は左手の薬指の指輪をいじりながら、向かいのレストランの入口を凝視している。一人の女が入っていく。以下、

着信音。携帯を開く美帆。
「遅くなる」の文字。
「クリスマスなのに？」と打つ。
レストランの窓際に座っている男を見つめる美帆。男、携帯を見る。
先ほど入っていった女、男の横を通り過ぎ、別の席につく。
ポツポツと降り出す雨。
入口から別の女が入っていく。
着信音。「ごめん、仕事なんだ」の文字。
男の向かいに女が座る。
雨を避けるようにデパートの軒下に入ってくるカップルたち。
美帆、雨に濡れながらレストランの入口へと歩く。
指輪のない手をドアにかける。

この入口から中に入るか否か？　象徴でもあり、主人公の美帆の未来も暗示していて素晴らしい。映像で語らせる人物の事情や、指輪という小道具で心情も表現しています。

小説とは違うシナリオ表現のテクニックがお分かりいただけるでしょうか。人物の動き、映像を指定しつつ、読み手にさまざまなことを分からせているわけです。本作と迷った末に、最優秀作はこちらにしました。

音楽室、遥かなり

福井康修

人物
横森拓馬（12）中学一年生・新入生
高山絵美（14）中学三年生・吹奏楽部員
鈴木明（48）吹奏楽部顧問・音楽科教諭

○春山市立第二中学校・音楽室・外〜中
音楽室の戸に「歓迎・吹奏楽部新入生見学」の貼り紙。
横森拓馬（12）は廊下の遠く離れた所で、モジモジしている。
響いてくる様々な楽器の音色。
大きく深呼吸をしてから、恐る恐る音楽室の入口に近づく拓馬。
固く握り締められた拓馬の拳。
ガラッと戸が開き、フルートを持った高山絵美（14）が出てくる。
絵美「（ぶっきらぼうに）何？」
拓馬「いや……何でもないです」
走って帰ろうとする拓馬。
歩いて来た鈴木明（48）とぶつ

かりそうになる。

鈴木「おーとっと。どうした？」

拓馬「えーっ、あの……」

鈴木「おっ、見学か？　見学だよな
（喜んで）入れ、遠慮なんかすんな」

再び絵美と拓馬の視線が衝突。

鈴木「高山、その目つきはないだろ」

絵美、ツンとして教室に戻る。

拓馬、音楽室に一歩、足を踏み入れる。と同時に、楽器の音がピタッと音が止む。20名ほどの女子学生たちが拓馬に注目。

拓馬「！（固まる）」

鈴木「みんな。やっと男子が来たぞ！」

オーッと歓声と楽器を叩く音。

拓馬、振り返ると、そこに果てしなく長い廊下。


描写の巧みさとしては『決断』が上かもしれません。ですがタイトルの差と、課題の「入口」を活かしたテーマ性。主人公拓馬のまさに、新しい世界への一歩を踏み出した姿がストレートに描かれている点。それだけではなく、前途多難さを暗示する絵美という先輩との出会い、女の子ばっかりという状況のおかしさを評価しました。

小説に書き方のルールはない

オチを決めるテクニック

「入口」の小説版です。

わずか２～２枚半（８００～１０００字）で、どのくらい小説が書けるのか？　ドキドキしながら、１００本以上の応募作をじっくりと読みました。


一番強く得た感想は、やはり小説はシナリオに比べると自由であって、こう書かなくてはいけない、というルールなどはないということでしょうか。それだけに選考の難易度は増しますし、選者の（本教室の場合は私ですが）好みがより影響を及ぼす。ゆえに選考から漏れた方も、失望する必要はありません。

前述したように、シナリオでは「映像にはできないト書は書けない」や「三人称で人物指定」「ト書は三文字下げ」などなど、基本的なルールがあって、小説的に書かれたものは通用しません。

シナリオ的に書かれた作品はほとんどありませんでした。ただ、エッセイや作者の体験談的な作品も多く、「これは小説なのか？」と悩みました。

作家によっては、私小説のように自身

の体験を赤裸々に綴った作品もあるし、意図的にエッセイ風に書いた小説もあります。

そうした作品であっても、実は読ませるためのテクニックがありますし、基本的には小説に求められるのはフィクションとしての作りでしょう。

またショートショート的な作品も多数。特にアイデアが同じなために、肝心のオチが途中から見えてしまい、おもしろさが半減する作品が多かった。だからダメということではなく、これもテクニック次第です。

例えば優秀賞に選んだ世古雄也さんの『ボクは戦場へ行く』。

> 今、一人の兵士が戦場へ行き、戦いを始めようとしている。この数ヶ月間、来る日に備え、彼は黙々と狭い部屋の中で準備を進めてきた。

という書き出しで、彼が戦場へと赴こうとする準備であったり、兵士になろうとするに至った動機などが前半に書かれています。成長するにつれ彼は、兵士として戦場へと赴く心得を育んでいき、以下、

> そしてついに、待ち侘びていたその日がやってきた。戦場への入口が開いたのだ。彼の強い意志がそうさせたのか、予定していた日よりも少し早いが、そんなことは気にしていられない。
>
> 入口の向こうからは目映い光が差し込み、思わず目をすぼめる。
>
> 予想とは正反対の、温かな希望に満ちた光。
>
> 騙されるか。彼はそう思った。油断させておいて、入口の向こうでは悲惨な光景が待ち受けているんだ。
>
> その証拠に、すでにその光の先から、女性の叫び声が聞こえてきている。
>
> しかし彼には、何故かその叫び声が、自分を祝福する賛美歌のようにも聞こえた。
>
> この入口の先で待っているのは、希望か絶望か、それは自分次第かもしれないと、彼は薄々、気付いていた。
>
> 今、一人の兵士が「社会」という戦場へ行き、「人生」という戦いを始めようとしている。「期待」という荷物を背負い、「名前」という鎧を身にまとって。
>
> 戦場へ辿り着いたら、まずは大きな声で泣き喚き、自分の存在を主張しなさい。
>
> ほら、貴方を出迎える声が、入口の向こうから聞こえてきましたよ。

「お母さん、もう少しです！　頭が見てきましたよ！」

そう、今回多かった設定こそが、〝生と死〟の境界線としての「入口」で、全体の2割弱を占めていました。〝生〟では世古さんの本作のように、これから生まれてくるところで、〝死〟では臨死体験で死の国の入口に至るけれど、何かのきっかけで戻って来るという設定。

同じアイデアでも、『ボクは戦場へ行く』は、生まれてくる赤ちゃんを兵士とする工夫が活きていたわけです。

奇妙さも小説の味わい

もうひとつの傾向としては、上記のように1000文字という制約から、オチを効かせたショートショート作と、そうではなく、いわば文学性を追求した作品に分かれた気がします。

最優秀作に選んだ作品は、どちらかというと後者の文学的な小説でしょうか。

入り口

A・M

獣が私の身体を喰らっている。ひと思いに頭からやってくれるといいのに、足元から悲鳴をソースにして味わおうとする。私はただ、痛みに気を失い、目覚めては泣き叫び、やがて私の終わりを待ち望むようになる。

いつか獣の排泄物となる。生きた証の思い出も、将来の夢も、何ひとつ獣の栄養にはならない。

「何、見てんだよ」

口に鰯の頭を突っ込んだ彼の目が、鬱陶しげに私を見て、離れた。

咀嚼し飲み込む様が、醜かった。何故、こんな歪んだものを毎朝、毎晩、見続けなくてはならないのか。

私のほうから進んで餌になって、獣の住処に入り込んだ。入ったのだから出られた筈なのに、そうしなかった。

冷えた皿に、焦げた鰯が三匹、横たわっていた。鰯はいい、消えゆく我が身を嘆かなくて済む。人に食われるために生きてきたことに、きっと疑問なんか持たない。

「昼間、お義母さんから電話があったの」

彼は咀嚼を止めなかった。

「元気にしているかって、たまには顔を見せて欲しいって言われた」

伸縮する口だけが、彼と外界をつないでいた。私の、たった一つの入り口だ。喰らいつかれ、千切られ、すり潰される場所だ。

　この情景は、明日も、明後日も、変わらないのだろう。それでも一年後は、私の身体はここに無いかもしれない。食べ終わった彼は、私のことを忘れて、次の餌を探すに違いない。


　人間は人間を喰らって糧にする。私は、誰を食べて生きてきたのか、糧となったもの、排泄されていったもの、私は彼らを覚えていられただろうか。


　彼が立ち上がり、グラスに水道水を注いで、錠剤を飲み下した。彼の背が少し縮んだようだ。今頃になって気づくとは、迂闊だった。

「おい、じろじろ見るな」

　彼は痩せた胸を張り、風呂場に歩いていった。

　残った鰯を、尻尾からちびちびと囓った。胴が崩れて頭が砕けた。私は食べるのが下手だ。戸棚のガラスに、三日月の形に口が裂けた、女の顔が映っていた。

　そうか、彼も誰かに食われてしまったのだ。


　私はこの奇妙な味わいを評価しましたが、いかがでしょうか。タイトルは考えましょう。例えば『鰯を喰らう日』とか『頭こそ美味』みたいな。

第3章 添削講座 シナリオと小説作品10のアプローチ

レッスン2「花火」

心に打ち上がる花火も美しい

花火は悲哀さえも彩る

「花火」のシナリオ版です。

夏の風物詩、夜空を飾る打ち上げ花火や、親しい人と楽しむ線香花火などなど、花火というだけで、情景が鮮やかに浮かびます。それだけ映像的な事象ゆえに、情景描写が活きた良作が多く、絞り込むのに大いに悩みました。

花火大会であったり、家族の団欒としての花火というと、華やかで楽しいという印象があるかと思いきや、むしろ悲しい情景、場面として使うと効果的なのか、人と人との〝別れ〟が描かれている作品が目立ちました。

花火大会で、デートをするカップルの片方が別れを告げられる。あるいは、浴衣で待っていると、彼から別れのケータイメールが届く、という作品が多数。このバージョンではなぜか、別れを告げられるのがほとんど女の子のほうでした。男の子がすっぽかされたり、振られてしまう設定はほぼなく、花火は女の子の失恋に相応しいようです。

また、夏ではなく季節外れバージョンでは、離婚する夫婦や別れようとするカップル、もしくは片方が引っ越そうとして、使い残していた花火を見つける。思い出に浸りつつ（あるいはふっきろうとして）最後に火をつけようとするけど、湿気ってなかなかつかなくて、という話もかなりの数ありました。

反対に、花火を使って愛の告白をするという作品もたくさん。優秀賞のM・Sさん『気づくの、遅い』はそちらですが、設定に工夫が凝らされていました。

打ち上げ花火が窓から見える夜の鉄工所の作業場で、溶接工の塚川明雄（21）が、鉄板を電気溶接している。恋人の笹本奈由（20）が、後ろから声をかける。明雄が振り返ると、浴衣に遮光面を着けた奈

由が立っている。以下、

奈由、鉄板を指差して、
奈由「ね、逆からでお願い、右から左で」
明雄「なん……で……？」
奈由、再び遮光面を着け、
奈由「さてさて、な、ん、で、でしょ？」
明雄、戸惑いながらも溶接を再開。
右から左へ火花を散らして進む溶接棒。
火花の閃光に照らされる二人。
明雄、手を止め、
明雄「……うん、いい……感じ？」
奈由「（遮光面で小突いて）気づくの、遅い」
明雄「ごめん……」
窓越しに上がり続けている花火。
もう一度、ぺこりと笑って作業を再開する明雄。
明雄にそっと寄り添う奈由。

花火は平和の象徴

小野田佳恵さん『親子だねぇ』は、別れでも告白でもないホームドラマ。新築の水戸家の屋根に、手作りの簡易な見晴らし台が設置され、水戸譲吉（68）が煙草をふかしている。「花火が始まるよ」と梯子を登ってくる孫の柰緒（14）と、「危ないからやめとけ」と不機嫌な息子の賢治（43）。親子は仲が悪い。以下、

賢治「あ、じいちゃん。また煙草、危ないから吸うなって、言ってるだろ」

譲吉、無視して煙を吹き上げる。

賢治、こわごわ登って来て、譲吉から離れて座る。

賢治「暇にまかせて、勝手にこんなもんを作って。一体だれが建てた家だと思ってるんだ」

譲吉「ひとりで生まれてきたような顔しやがって、誰が産んでやったと思ってるんだ」

賢治「ばあちゃんだよ」

柰緒、吹き出しそう。

ヒュルヒュルヒュルドーンと大輪花火。

柰緒「わあっ、たまや～！」

前のめりの猫背で口を空けて見上げる譲吉。

まったく同じ姿勢で花火を見

ている賢治。
奈緒、間で交互に二人を見て
大笑いしている。

恋の別れであったり、こうしたほのぼの系が大半ながら、数本ですが戦争を扱った作品も。花火はまさに平和の象徴、戦争と表裏だからでしょうか。自分を襲った戦闘機が花火のように撃墜される。無差別爆撃が花火のように見える。そうした中から、ファンタジー色がうまく加わっているこの作品を最優秀としました。

はなになり、たまになり

松田美紀

人物
藤村謙吾（32）日本海軍パイロット
藤村京子（25）藤村の妻
藤村悟（4）藤村の息子

○レイテ沖上空（夜）
日本軍機と米軍機、数十機が激しい空中戦を行なっている。
夜空を照らす炎、爆音と爆発音。
米軍機に背後から攻撃される零戦。

○同・零戦のコックピット・中（夜）
必死に操縦桿を握る藤村謙吾（32）。ゴーグルの右レンズが割れている。
炎と煙に包まれるコックピット。
閃光、爆発音。

○花火大会会場（夜）
次々とあがる花火。人々の歓声。藤村を真ん中に、藤村京子（25）と悟（5）が浴衣姿で眺めている。
京子「（見上げ）ホントにきれいね」
藤村の足に抱きつく悟。
藤村「（驚き）京子っ！　悟っ？」
京子「（悟に）お父ちゃん、お疲れみたいね」
悟「（笑って）金魚すくい！」
京子「ちょっと行ってきますね」
手をつないで行く京子と悟の後ろ姿。その向こうに大輪の花火。
藤村「きれいなもんだ。匂いも材料も大して弾と変わんねぇのに……」
藤村の下駄のつま先に何か当たる。拾い上げると黒焦げのヘルメット。
ゴーグルの右レンズが割れて

いる。

○レイテ沖上空（夜）
　爆発炎上して海に落ちていく零戦。夜空に散らばる破片、花火のよう。

わずか3枚で柱4つは多すぎるのですが、本作の場合はＯＫでしょう。三つ目の柱の藤村が妻子と見た花火の場面は、一瞬の回想なのか幻覚なのか？　どちらだとしても、美しさゆえに戦争との対比が効果的です。

どういうテーマであれ、題材であれ、こうしたイベントであったり、小道具であったりをもってくると、映像的な効果が増すだけでなく、俄然、人物の心情やドラマが深まります。それを忘れないで下さい。

書きやすいが難しい〝一人称小説〟

一人称か三人称かの選択

「花火」の小説版です。

シナリオと小説の書き方の違いはいくつかありますが、小説ではまず人称、視点者を決めることが重要になります。

シナリオは映像の設計図としての役割もあるために、人物の指示をしつつ、三人称多視点で書かれます。小説のような〝私〟〝僕〟といった一人称で書くことは通常ありません。

小説は、この一人称で書くか、〝斎藤は〟とか〝久美は〟といった三人称で書くかで、アプローチが違ってきます。

小説を書くためのハウツウ本でも、まずこの人称の選択や、書く際の注意点などにページが費やされていたりします。

「初心者は三人称で書くべき」と主張する人もいれば、「一人称のほうが書きやすいので、そこから始めろ」という意見もあります。

86作の応募のうち、〝私〟が32作、〝僕〟11作、〝俺〟10作（ひらがな表示も含め）といった一人称が53本で、三人称が30数本でした。人称がなく人物の独白的な作品が3作。また、三人称の中には〝夫は〟〝妻は〟という指定や、〝線香花火は〟といった擬人化の指定も数本ありました。

これをみると一人称、中でも〝私〟（わたし、あたしも含め）が多い。ただし、この短い枚数だと、一人称のほうが書きやすいということもあるでしょう。ある程度の長さの小説を、一人称だけで通すのはかなりの書き手の力量が必要です。

一人称は書きやすくもあるのですが、実は難しい。今回も〝私〟と書かれた人物が見えてこない作品が数本。例えば、うだるような残暑が眠りを妨げる。閉めきったカーテンが、暑苦しいだいだい色に染められているのを見た私は思わず舌打ちをした。
学校を休み始めてもう何ヶ月になるだろう。高校二年に進級すると、私は新しいクラスメイトたちからシカトされるようになった。

という書き出しで、引きこもった〝私〟の心情なりが綴られ、心配した母親が部屋をノックするのが全体の半分過ぎで、

「優菜、今ね、クラスのお友達から電話がきてるんだけど……」

という母のセリフで、〝私〟が優菜という名の女の子とようやく分かりました。

同様に、

ドドーン、と腹の底まで音を響かせて、花火が頭上で夜空に広がった。さっきから、景子が困った顔をして、わたしを見つめてくる。
「彼氏、いたっていいよ。俺、立候補する、景ちゃん、かわいいんだもんな」
斎藤先輩の言葉は直接的だ。ごまかしたりしない。わたしみたいに。
景子からは毎日、野本教授とのノロケを聞かされている。

この作品の場合も、視点者である〝わたし〟の性別や年齢などがはっきりと摑めないまま進んでいました。花火大会の会場で、斎藤先輩はわたしが側にいるのも構わずに、彼氏のいる景子を口説いている、という場面なのですが、わたしが実は景子の友人の女子大生と摑めるのは全部を読み終わってからでした。

でも、〝わたし〟は秘かに景子を思っている男で、とも読めなくもなく、一人称の場合は、そうした描きわけも意識することが必要となるわけです。

ミステリーなどで意図的に隠す手法も稀にありますが、作者の思い込みになっていないか？　読者にきちんと伝わっているか？　と常に検証しましょう。

〝私〟を見せながら心情を描く

優秀賞に選んだ澤村ふゆほさんの『はなだん』。書き出しはこうです。

おばあちゃんが着付けしてくれた浴衣は柔らかく肌になじんだ。ママのお下がりの紺地に黄や橙の蝶が飛んでいる柄で、ママが中学の頃におばあちゃんが縫ったものだそうだ。
そして私もその歳になった。

この素直な書き方なり文体で、浴衣を着た〝私〟は女子中学生ということが見えてきます。迷った末の最優秀作も〝私〟という一人称小説です。

まひるのハナビ

N・J

あれは私が8歳の夏休みのことだった。今まで誰にも話さずにきたけど、酔ったせいか無性に聞いてもらいたくなったよ。ねぇ、酒のつまみに聞いてくれる？

「約束して。花火が終わるまで絶対に家に入らないこと。いいわね」

母から花火の袋を渡され、住んでいたおんぼろの市営住宅から河原まで弟の手を繋いで当時好きだった歌を歌いながら歩いた。

——飾りじゃないのよ、涙は

私が歌うと父が合いの手を入れた。サビの部分しか知らなかったので、握った手を振ってリズムに合わせて繰り返し歌った。

河原に着くと父が空き缶に立てたローソクに火を点けた。弟はピンクや緑の色が着いた噴出し花火を欲しがったが、すぐに燃え尽きる花火よりも火の玉から彼岸花のような火花がチカチカ燃える線香花火を私は好んだ。線香花火の火の玉をいかに長持ちさせるかに集中し、墜ちていく火の玉を名残り惜しそうに見ていた。気づけば父の姿がない。尿意をもよおした私は我慢できずに、弟にすぐ戻るからと言い置きして家まで駆けだした。

「ダメだよ。母さんがそう言っただろ」

振り向きながら弟にあっかんべーをした。心配性なのだ弟は。焦っているはずなのに歌がエンドレスで脳内を流れる。右、左、右。信号のない広い道路を渡る。缶ビールの自販機の前に父がいたが、隠れるようにして通り過ぎる。玄関の戸を開けると見慣れない黒い革靴が見えた。チリッと線香花火がくすぶる。

「まひる？　花火もう終わったの？」

母の問いに曖昧に答え、濡れた手をショートパンツの脇で拭きながら奥の部屋を通り過ぎた。その時だった。ドアの隙間から布団の上に無造作に置かれた一万円札が見えたのだ。隣には脱ぎ捨てられた男物の靴下が片方あった。

河原まで5分。

ふいにあの歌の出だしが思い出された。
——私は泣いたことがない
涙を腕で乱暴に拭きながら私は線香花火の燃えかすを踏み続けた。父は3缶目のビールに手を伸ばし、弟は仕掛け花火に興じていた。

父と母はくっついたり離れたりしながら今も夫婦だけど、あれ以来花火は封印した。えっ？ 今からベランダで線香花火をしないかって？ そろそろいい頃合いかもね。でも、待って。その前にキスしてちょうだい。

8歳の時の花火の思い出を語っている現在の〝私〟が幾つなのか？ この作品の場合は特に明らかにしなくてもいいわけです。欲をいうと、花火をした時刻は、夜なのか？ 真昼なのでしょうか？

第3章 添削講座 シナリオと小説作品10のアプローチ

レッスン3「初めてのキス」 恋愛物の決め手は〝せつなさ〟

あなたのピクルス食べちゃった

「初めてのキス」のシナリオ版です。

皆さんの作品をドキドキしながら読みました。

大好きな青春映画、ベン・アフレックとマット・デイモンの二人が大学時代に書いた脚本で、アカデミー脚本賞をとった『グッド・ウィル・ハンティング／旅立ち』。この中で主人公のウィル（デイモン）が、女子大生スカイラー（ミニ・

ドライバー）と初デートをして、初キスをするシーンがあります。

あっけらかんとしたスカイラーがウィルの要望に、「したいんでしょ、さっさとしちゃいましょうよ」と、モグモグとハンバーガーを食べながら促します。

「うん」とウィルが応じてキス。唇を離すと、スカイラーはケラケラと笑ってこう言います。字幕版だと「ピクルスの味がした」。吹き替え版では「あなたのピクルス食べちゃった」。

DVDの英語のセリフは（私のヒヤリング力では）はっきりと聞き取れなかったのですが、「your pickles through」とスカイラーは言っているようでした。字幕、吹き替え共にセンスが要求されますが、このセリフの翻訳、皆様はどちらがお好きでしょうか？

ともあれ、この初キスのシーンは素晴らしい。スカイラーという女の子のキャラクターも魅力的ですが、この場所とシチュエーションゆえに、こんなにステキなシーンとセリフになっている。オスカーの脚本賞はまぐれではありません。

こういうグッとくるシーンを期待したのですが、匹敵するような作品はなかった……かな、残念ながら。

初キスの味に言及した作品は多数。レモン、シュークリーム、スポーツドリンク、ニンニク味だったり。

その中で、優秀賞の松田美紀さんの『無性に海が恋しくなった』。松田さんは「花火」のシナリオで、『はなになり、たまになり』で最優秀賞でしたが、本作もまずタイトルがバツグン。

高校生の香坂理沙（16）が、友人の沖田真梨（16）の部屋で夏休みの宿題をしている。隣が真梨の兄の雅人（19）の部屋。防衛大生の雅人は居眠りをしている。壁には護衛艦のポスター。そこに理沙が辞書を借りに来て、雅人の寝顔をうっとりと見つめる。手ぶらで戻ってきた理沙を真梨が不審がる。以下

　　向かいに座る理沙、放心状態。
真梨「どしたの？　顔、赤いし」
　　理沙、クッションを強く抱く。
理沙「真梨ぃ、ファーストキスってさぁ」
真梨「何、何ぃ？　レモンの味？」
理沙「それってウソ。ホントは潮の香り」
　　目を丸くする真梨。
　　ピンクのリップが塗られた理彩の唇。

○同・雅人の部屋（夕）
　　ベッドの上で目を開ける雅人、親指の端を拭う。薄っすらピンク。
雅人「……」
　　セミの音が止まる。

冨士原瞳さんの『ショートカット』。

高校の正門から出て、道をスタスタ歩く笹野高輝（18）。山田千奈美（18）が慌てて追いかける。足の長い笹野にようやく追いついた千奈美が、息を切らしながら文句をいう。以下、

笹野「そりゃ、足の長さ違うし」

　キッと顔を上げる千奈美。

　その顔に笹野の顔が近づき、二人の唇が重なる。驚き目を見開く千奈美。笹野、顔を離す。

笹野「（手を取り）行くよ」

　千奈美、手を引かれたまま歩く。

千奈美「普通、手をつなぐのが先だし」

　笹野、口元に笑みを浮かべ、
笹野「（真っ直ぐ見て）忘れられないファーストキスじゃん」

千奈美「……バカ」

　千奈美、笹野の手をきゅっと握る。

　道に二人の影が伸びている。

ドキドキさせてほしい

こうした本来の恋人同士であったり、思い合っている者同士の初めてのキスではない作品も。例えば、親や祖父母が生まれて間もない赤ちゃんにキスをしようとしたら、「虫歯菌が伝染るからやめて」と止められて、という話が数本ありました。こうした設定は微笑ましくはあるのですが、要するに親バカ話に過ぎず、あまりおもしろくありません。

　また、主人公が傍観者だったり、キスの未遂に終わるという作品もあって、今ひとつ物足りない。やはり、主人公の初めてのキスのときめき、ドキドキが描けているかでしょう。

　また、男同士、女同士のキスも多数。またも迷った末に、そうした設定の作品を最優秀としました。

片想いのミジンコたち　高橋由紀子

人物
園部結月（17）女子高生
瀬戸愛里（17）結月の親友
宗田和正（17）サッカー部員

○高校の図書室（夕）
　窓際の席で瀬戸愛里（17）、テキストを拡げっぱなしで、グラウンドでボールを蹴る宗田和正（17）を見つめている。

　隣の席で園部結月（17）、生

物の問題集を解いている。
結月「愛里は宗田君のストーカーだね」
愛里「(睨んで) ひどぉい。私の宗田君への愛を、ストーカー呼ばわりなんて」
再び視線をグラウンドに戻す。
結月、問題集をめくり、
結月「ミジンコは単為生殖ができるんだって。雄がいなくても雌がひとりで子供が産める。すごくない?」
「ふーん」と生返事の愛里。
結月「(問題集を見たまま) 私はね、愛里のストーカーだよ」
愛里「えっ?」
振り向いた愛里に結月の顔が重なる。固まる愛里。一瞬の間の後で、結月を押し返す。

結月「分かってる。単為生殖さえ私には必要ない。どんなに想っても私たちは二人で何も生み出せないの……」

愛里「……」

結月「だから、ここより先には進めないね? でも戻ることだってできないでしょう……?」

結月の両頬を流れる涙。

愛里、口を拭いながら席を立ち、廊下に出る。

結月、止まらない涙。

置き去りのテキストが風に揺れる。


恋愛物の決め手は〝せつなさ〟です。人物の悲しさ、愛おしさ、悦び、ときめき、そうしたせつない思いを、どういうシーンやセリフで描けるかです。

小説はつまるところ文章です

ときめきをいかに表現するか?

「初めてのキス」の小説版です。

凝った設定や二転三転するストーリーもあっていいのですが、小説はつまるところ文章表現です。

〝**僕は純子とキスをした。ドキドキした。**〟という文章がダメというわけではありませんが、ただ起きていること、事象を書いても、それは小説の文章とはいえません。キスをする場面を描くとして、心の揺れ、ときめき、感覚、情景などなどを、文章でいかに表現できるか。

中原夕美さんの『空の熱帯魚』。車椅子をうしろめたく思う私と彼とのデート。私の車椅子を押しながら、彼が「あ、月が出ている」と指さす。以下、どこに月なんて……と言いかけた私の口は完全にふさがれてしまった。

私の存在も思考も砂が落ちるように静かに溶けてなくなった。

音もなく、色もない。深海のようなその場所を私は安心してゆらゆらと漂い続けた。


川合真美さん『初めて』。同級生の優は美人でもないのに、次々とボーイフレンドを変える。「どうしたらそんなにモテるの?」と聞く私に、優はキスをする時、男の子に「私、初めてなの」と言えばいいと秘密の呪文を教える。


「みんな本気で信じちゃうモノ?」

見てはいけない他人の日記帳を覗いてしまったような気持ちで呟く私に、優が近づいてきて、耳元で囁いた。

「私、初めてなの」

甘く痺れたような感覚と同時に柔らかい唇が触れた。身体中が一気に熱を持ったようにぼんやりとしながら、私も自然に秘密の呪文を唱えていた。

「私も、初めてなの……」


小口佳月さん『毒に染まる舌』。女にだらしない兄の裕樹は、性を嫌悪する中学生の私を「まだ処女なんだ」とバカにする。母の浮気の子である兄を「あんたなんか、ふしだらな子だ!」と罵る私。兄は、「こんな家、めちゃくちゃにしてやる」と押し倒し、無理やり私の唇を奪う。


息ができなくて、声が漏れる。自由のきく足をじたばた動かした。いやだいやだいやだ——。

しばらくすると、兄はそうっと唇を離した。私は目を開ける。涙でぼやけて兄がどんな顔をしているかわからない。

「……ごめん」

その日を境に、兄は家に帰ってこなくなった。もしかしたらこの先も私と兄は会うことはないかもしれない。私は自分の唇に触れる。あのとき、滑らかにさしこまれた兄の舌は煙草のせいか苦く、毒の味がした。私は今も兄の毒に侵されたままだ。

感じさせる文章を書く

近藤真弓さんの『初恋』。あたしの独白で語られる初めてのキス(?)の情景。

ひどい、ひどい。あれは事故だったなんて、どうしてそんなことを言うの。あたし初めてだったのに。

確かに、事故みたいに突然ではあった。目を開くとあなたの顔が目の前にあったんだもの。あたしの唇にはあなたの温もりが。あたしが目を開くと、あなたは嬉しそうに微笑んで、大きな手であたしの頬を包み込んだね。あたし恥ずかしくて何も言えなくて、無愛想な態度をとってしまったけれど、嬉しかったのよ。


実はこれはプールで溺れたあたしへの人口呼吸だった。助けてくれたのは先生。この物語の終わり方は、

ねえ、先生。あたし、先生の本当の気持ちが知りたいの。


五年？　あたし待てるよ。すぐに大人になるよ。先生は待ってくれるの。そう。ありがと。なら、あたしたち、しばらくまた、ただの教師と生徒だね。ね、先生。一つだけお願い。最後のキスをして。

……ん。


これらと争った末の最優秀作です。

カレーなる想い出

佐倉博子

「海斗ぉ。私たちって恋人同士だよねぇ」

五年一組の上野由香里が、その甘い声とは裏腹に、ぼくの右腕をきつく摑んで睨み上げてきた。ショートボブが揺れ、毎朝廊下ですれ違う時と同じシャンプーの香りがする。

「海斗は、私と付き合っているんだよね」

五年三組の吉田沙耶は、ぼくの左腕に自分の腕を絡ませると、抱えこんで胸を押し当ててきた。コロンの香りが、由香里のシャンプーの香りを一瞬で消し去ってしまう。部活に行くぼくを見送る放課後の香りだ。

「どういうことなの。山田」

ぼくと同じクラスの高木亜衣が目の前で腕を組み、唯一の逃げ道である下り階段への踊り場を封鎖している。目の上ギリギリで揃えた前髪の、その奥の目が射るようにぼくを見据えている。

「どうって……チョコくれたから……」

ぼくの声が震えたからだろうか。

ぼくの目を覗き込んだ亜衣の頬が少し緩んで見えた。

「山田ってさぁ。ひょっとして、バレンタインのチョコくれた子全員にオッケーした?」

からかうような亜衣の声だったが、今のぼくにはそれが神の啓示に思えた。だからぼくは真顔で「ん」と、短く答える。

「バカじゃないの、ねえ、ねえ」

亜衣は、由香里と沙耶の顔を交互に見ながら同意を求めている。

「はぁ? それじゃぁさ、海斗は義理チョコの子ともつき合ったりしてんの?」

沙耶が先にぼくの腕を解いた。

「まさか。でも、それってあり得るかも。勘違い男? キモっ」

沙耶の様子に由香里も慌ててその手を離す。

二人の足音が階段に飲み込まれていくのをぼくはただ、立ちすくんで聞いているだけだ。

「意外と簡単だったでしょ」

亜衣が得意気に笑い、舌を出した。

「ありがとな。バレンタインのチョコなんてみんな遊びと思っていたからさ」

「私のも遊びだと思ってた?」

「……ん。でも、高木からのはちょっとうれしかったかな。つき合うとかって正直よくわからないけどさ。部活もあるし、塾もあるし」

「いいの。私の『好き』に、山田のちゃんとした『好き』の返事が欲しいだけ」

亜衣の顔が近づき、ぼくの唇に柔らかいものが触れた。と、同時に階下からの香りが鼻をくすぐる。ぼくの『好き』は、給食カレーの香りのキスから始まった。


キスというと唇の感触、触覚ですが、この作品は嗅覚も加えているところを評価しました。タイトルはイマイチ。

小説とするための一行、一言の文章を磨くことを忘れないで下さい。

第3章 添削講座 シナリオと小説作品10のアプローチ

レッスン４「交差点」

人生を交錯させる空間

〝ユーレイネタ〟は注意！

「交差点」のシナリオです。

通常ならば道路と道路が交差する場所。中には場所ではなく、「今が私とあなたの人生が交差している瞬間ね」のようなテーマ的な扱いもありました。

それでも構わないのですが、やはり場所、場面としての交差点で展開する物語がよかった。それもただ「道」とかではなく、〝交差する〟というのがポイントだったようです。

一番多かったのは「再会もの」。昔別れた恋人同士、夫婦、片想いの人と交差点で再会して、という設定。

で、その関連ともいえるかもしれませんが、今回いつにも増して多かったのが、いわゆる〝ユーレイネタ〟。「交差点」という場所が、そうした設定にふさわしかったのでしょうか。

交差点で事故に遭いそうになって、誰かに救われる。その誰かはここで死んだ幽霊だった。あるいは結婚を決めた主人公が、交差点ですれ違ったのは、若いままの亡き父や母だった、といった話。

この連載のような短編シナリオ、ショートショート小説の募集では、毎回1、2本は〝ユーレイネタ〟があります。最後に「あの人は幽霊でした」もしくは「私（主人公）は死んでいたのです」というオチをもってくると、どんな話でもきれいに着地してしまう。

それだけに、最もありがちな話となる危険性も高くなります。私のような選者側からすると、「なるほど！」「すごい！」と驚くことはほとんどなく、「やっぱりな」「またか」とガッカリする方が圧倒的です。書くな、とは言いませんが、書くならば新味、工夫を加えて下さい。

工夫というと、再会ものでひと味違っていたのが、本門かおるさんの『最期にひとめ』。

「エンディングノートの書き方」講習会に参加している幸田優(80)。講師の「最期に会いたい人の名前を書き込んでおきましょう」という提言に幸田は「花村麗」と書き込む。会場から出て交差点で信号待ちをしていると、

横断歩道の向かいで、涙を拭っている少年を叱りつけている老婆を見る。幸田、嫌な顔をする。

信号が青になり、横断する幸田。

老婆は泣いている少年を叱り続けながら、歩いて来る。

老婆の顔をすれ違いざまに見て、驚き、立ち止まる幸田。

遠ざかっていく老婆と少年。

老婆は花村麗(76)。


歩行者用信号が赤になり、クラクションに急かされて渡る幸田。

〇**公園**
最期に会いたい人の欄「花村麗」を破り、ゴミ箱に捨てる幸田。

皮肉でいいのですが、麗が少年(孫)に対してのセリフ、もしくは幸田と麗との接触を描いてほしい。そこにこそ幸田を失望させる本質があるはず。

時を凍結、交差させる場所

栗原美幸さん『よりみち』は、父と娘のドラマ。住宅街の夜の交差点で、会社から帰宅した上田昇吉(58)が信号待ちをしていると、娘の上田美砂(28)が横に並ぶ。二人の前を5歳くらいの浴衣の少女と父親が横切っていく。父親の手には金魚の入ったビニール袋。


美砂「町会のお祭りかぁ! 懐かしいな。昔、よく行ったよね。お父さん、金魚取りすぎて、お母さんに怒られてた」

カラコロと下駄の音を響かせて、手をつなぐ親子の後ろ姿を、見つめる美砂と上田。

美砂「あのね、お父さん……」

反対側の信号が点滅、赤に変わる。

美砂「私、結婚しようと思っているんだ」

進行方向の信号が青に変わる。

しかし、上田は動かない。

上田「……お父さん?」

上田、逆の赤信号に体の向き

を変える。
上田「……少し寄って行くか。母さん、たこ焼き好きだったからな」
上田の背中を見つめる美砂。
美砂「うん……。リンゴ飴もね」
祭のお囃子の音が聞こえてくる。

娘が父に結婚の報告をする、というだけならば、別に交差点でなくてもいい。ただ、この作品の場合は、過去の思い出、つまり時を交差させているところで、情感となっています。

さて、問題点もありますが、この作品を最優秀としました。

ファイナルアンサー

村尾美幸

人物
峻（26）フリーター
死神（？）
葵（26）峻の恋人

○田舎道の交差点
後輪が浮き、ドアの開いた軽トラと、片輪で激しく傾いた黒のバンが、衝突寸前の状態でそのまま静止している。
バンの運転手はハンドルにしがみついたまま。
空間に亀裂が出来て闇が覗き、その下、峻（26）と黒ずくめの死神が対峙している。
峻の腕にはぐったりと意識のない葵（26）。
死神「（不気味に）ファイナルアンサー？」
峻「（頷く）ファイナルアンサー、俺！」
死神「人類の半分は女。一番大事なものは俺……99時間前のお前のセリフ」
峻「力一杯そう思ってた！　アホな俺」
死神「余命一年だと、あの藪医者ぶっ殺す。俺は生活立て直して、手術受けて、しぶとく生き抜く……9時間前」
峻「生き直そうと思えたのは、こいつのお陰、葵の愛を知ったからだかんな」
死神「葵、お前と別れる位ならお前を殺す。一生離れない……9分前。矛盾している」
峻「いいから、早く葵を安全なところに飛ばして、俺だけ連れてけ！」

死神「ますます、矛盾している」

峻「(笑顔で)ああ、ホントだ。矛盾してるかもな……死神だっけ? 気まぐれだか何だかしらんが、ありがとうよ……助かるわ」

たんぽぽの咲く路肩に瞬間移動する葵。

頷き、軽トラの運転席に戻っていく峻。

パチリと指を鳴らし、ふいと姿を消す死神。

中空の亀裂が消え、動き出す情景。

軽トラと黒いバン、激突する。


人物はフルネームをつけましょう。峻と死神のやりとりがやや長いし、説明的です。死の瞬間で死神と、という設定もありがちなのですが、ただ本作は映像ならではの見せ方がうまく、その新味を評価しました。

タイトルは作品の顔です

「タイトル遊び」をしましょう

「交差点」の小説版です。

ところで再三、タイトルの重要性について述べていますが、優秀賞に選んだ原唯菜さんから、「いつもタイトルが決まらなくて悩んでいます。いいタイトルのつけ方を教えて下さい」というご要望がありました。今回はタイトルについて考察してみましょう。

さて、いいタイトルの条件は三つ。

①訴求効果があること
②内容を端的に表していること
③ジャンル、カラーを伝えていること

原さんの作品のタイトルは『黒猫』。激しい雨の降る夜の交差点で、主人公が黒猫を抱いた謎の女と遭遇する。猫を抱く女は幻なのか、何かの化身なのか……

小説としてのまとまりに欠けていて、よく分からないのですが、独特の世界は魅力的で優秀賞としました。

タイトルはそれなりに訴求効果はありますし、内容や雰囲気も外していませんが、どうしてもポーの名作短編を思い出させます。

こうした著名な過去作と同じタイトルを持ってくるには、作者が意図する必要があるでしょう。下敷きとするのか、まったく違うものをあえてぶつけようという意気込みを示すのか。

タイトルでこうした単語の一語を持ってくるのは、力強さが出せる反面、単調になったり、内容が見えてこなかったりするデメリットと背中合わせです。安易ではダメで、まさに作者の確信なり、意志が必要となるでしょう。

　さて私は、企画を立てる際や発想のアプローチとして、「タイトル遊び」を提唱しています。これはアメリカの作家ディーン・R・クーンツが『ベストセラー小説の書き方』（朝日文庫）の中で披露している方法です。元となるキーワードを決め、そこに別の語句、用語をつけるゲームをしてみる。

　例えばキーワードを「交差点」としてみます。前回のシナリオ版と今回で「交差点」がついた作品をあげると、

『ガラスの交差点』

『離れられない交差点』

『だいじょうぶ交差点』

『命の交差点』

『タイムトラベル交差点』

『交差点に咲く花』

『交差点の女神』

『交わらない交差点』

『ラウンドアバウト交差点』

『午後の交差点』

『交差点ゲーム』

『交差点にて候』

『魔の交差点』

『待ちわびる交差点』

『野辺の送りの交差点』

『交差点にて』

『交差地点』

『手紙～スクランブル交差点で出会った友～』

『交差点・交叉点・交さ点』

『人間交差点』

『殺意の交差点』

『クロス・ロード』

『スクランブル・エンジェル』

『クロスポイント』

情景やセリフもタイトルになる

　いかがでしょう？　見た目、音感、引っかかる何かがあるか？　中には悪くないタイトルもありますが……

　内容を示していても、そのまま説明的なタイトルでは訴求効果はありません。『人間交差点』は、〝ヒューマンスクランブル〟のサブタイトルがついた同名コミックがありますし、優秀賞としましたが、『殺意の交差点』はフレッド・カサックの傑作ミステリー『殺人交差点』を想起させます。

　とにかくタイトルゲームをやってみましょう。ヒントは、

◎色や冠詞、形容詞をつける……

『黒の交差点』

『灰色交差点』

『虹色交差点』

『夏の交差点』

『風色の交差点』

『おもいで交差点』

『遠すぎる交差点』

◎別の名詞、複雑な言葉をつける……

『虹の渡る交差点』
『死体のある交差点』
『闇への交差点』
『あの人の交差点』
『あの人がいた交差点』
『男と女の交差点』
『私とあなたの交差点』
『神々の交差点』
『交差点の熱帯魚』
『交差点のカラス』
『約束の交差点』
『交差点の扉』

◎動詞としてみる、逆にしてみる……

『交差点は遠すぎる』
『交差点で夢を見る』
『虹が走る交差点』
『交差点のあの人』

◎情景描写、セリフとしてみる……

『海の見える交差点』
『あの交差点で逢いたい』
『あの交差点で会おうよ』
『交差点で会ったね』
『交差点で花束を』
『雨の日に交差点で』
『雨のクロスロード』
『クロスロードで待ち合わせ』

誌面が尽きそうなのでやめますが、ノートにあれこれと書き付けるだけで、これぞ！　というタイトルが必ず見つかります。やってみて下さい。そこから物語が導かれることも多々あります。

さて、単語のみのタイトルですが、内容の含みを感じさせて、悪くはない（絶品とはいいませんが）最優秀作です。

たそがれ

U・I

『昨日、夢を見てん』
『どんな夢？』
『あのな、世界が真っ黄色になってしまう夢』

☆

仕事を終え、駅から吐き出された人々は、携帯端末を覗いたり、髪を触ったり、誰かと言葉を交わしたりしながら、じっと待っている。交差点の信号が変わるのをじっと待っている。私は、流れる車をぼんやりと見ていた。サイドミラーに反射した夕陽が眩しくて、ふと顔をそむける。

☆

『世界が真っ黄色になって、それでどうしたん？』

『なにもかも真っ黄色やねん。建物も、空も、地面も、人間も、みんな。だから何が何やらわけ分からんねん。どないしよ。これからどうやって生きてったらええねん、って俺、途方に暮れたわ』

『あほみたいな夢やな』

『でな、俺、このまま沙織ともう会えへんのちゃうかな、って思ってん』

『うん』

『そしたらな、向こうから青いヒトが歩いて来るねん。そこだけ色違ってるねん。めっちゃ目立ってるねん。それがなんとな、沙織やってんな』

『青かったかぁ、私』

『光ってたなー。遠くからでもすぐ分かった。で、俺、やっぱ沙織は特別やねんな、って思って。すごく幸せな気持ちになった』

☆

信号が青に変わった。大きな生き物のように人波は対岸をめざす。私はその生き物の細胞の一つになり損ね、さんざん他人にぶつかった挙句、舌打ちまでされた。こんな場所で足を止めた私が悪い。分かっていても、魔法にかかったように動けない。

ほんの数メートル先、私とは違う流れの中で、あの頃のままの――いや、少し大人になった彼が通り過ぎていく。夕焼けのオレンジに染められた世界で、彼だけが光っていた。

彼は一度もこちらを見なかった。全く私に気付かずに、その背中を見せて、小さく遠くなっていった。やがて彼はすっかり見えなくなり、信号はまた赤になった。

立ち尽くしたまま、私はなんとなく、あの会話を思い出していた。もう指輪のない左手を見ると、夕陽のオレンジ色に染まっている。……私は、『特別』なんかじゃなかったのだ。

レッスン5「朝ごはん」

献立にこめられた人生の味わい

朝食は〝夕べのカレーの残り〟

「朝ごはん」のシナリオです。

故向田邦子さんはある対談で次のように語っていました。

「その家族が朝に何を食べて、夜に何を食べるかの献立が作れるときには、そのドラマはうまくいきますね。お漬け物はその家で漬けてあるのか、それともスーパーで買ってきているのか、そこまで思い浮かぶと、台詞もどんどん出てくるし、ドラマも生き生きしてくるみたい」

スタッフも向田さんの脚本に従い、必ずその献立を用意したとか。ある日の朝のメニューでは、「ゆうべのカレーの残り」と書かれていて、脚本を読んだ出演者一同に感動が広がった。「小さな人生の真実がこめられていた」からです。

今回、朝ごはんが家族の幸せの象徴で、作ってくれる母親(不器用な父親も若干)へ感謝を描いたほのぼの系が多数。逆に朝食をとれない子どもの不幸や、離婚する夫婦の最後の朝食も。

K・Aさんの『朝のひととき』。

女性ばかりの沢村家の朝。すず(45)が昨夜の残ったイカと里芋の煮物を火にかけていて、菊子(25)が三人分の弁当を詰めている。制服姿の百合子(14)が「梅子姉さんにご不浄から追い出されたぁ」と入ってきて、追いかけてきた梅子(21)に「出てこないからでしょ」と少女雑誌で頭をはたかれる。以下、

すず「はいはい、あなたたち、そのくらいにして、お膳立てしてちょうだい」

すず、おかずをお盆に載せる。煮物に加えて、鯵の開きとお新香。

梅子、弁当を見てげんなりし、

梅子「また鮭？」

菊子「文句あるなら、梅ちゃんだけ、日の丸ね」

梅子、渋々引き下がり、食器棚から茶碗や箸を取り出す。百合子が座卓を拭き、おかずとお膳を並べる。

菊子、おひつと味噌汁の入った鍋を置く。

全員が食卓につく。

全員「（手を合わせ）いただきます」

昭和十年十一月十五日の壁の日めくりが風に揺れる。


まさに向田ドラマの味わい。

古めかしい言葉づかいや生活感の理由が、最後のト書で明らかにされます。ただ彼女たちの夫、父はどうしてここにいないのか？　あるいは、日めくりが「昭和十六年十二月八日」だと、この「朝のひととき」の、かけがえのなさがより描けるのでは。

中原夕美さんの『スナックルージュ』。村上保（17）がリビングに入ってくると、「まだいたんだ。あんたも食べる？」と母の留美子（45）が、電子レンジから温めたおでんを取り出す。保は「朝から店の残りもんなんて食えるか」と怒る。以下、

保「最近、よく店に来るやついるだろ」
留美子「えー？　誰？」
保「ブランドもん身につけたデブの」
留美子「ああ、門脇さん」
保「誰だか知らないけどさ、あんま、みっともないことすんなよ」
留美子「何よ、それ」
保「自分の年を考えろ。そんな真っ赤な口紅つけて！　俺、あいつと朝おでん食べたりすんの、絶対やだからな」
保、カバンを乱暴に持ち直し、ドアを音をたてて閉めて出て行く。
留美子、おでんの皿を持ち上げると、音をたてて汁を吸う。置いた皿についた口紅をじっと見つめる。

隠し味がドラマの決め手

Y・Sさんの『ふたつの煙』。

煙と匂いに目覚めた西秀夫（67）が居間に行くと、妻の明子（57）が、「今日は秀夫さんのお誕生日なので、お好きな魚を焼いたのですが」と作り笑いをして、食卓の焦げた魚を見せる。

秀夫、明子と同じように目尻に皺をつくり笑い、食卓につく。
明子「お誕生日、おめでとうございます」
秀夫「ありがとう、いただくよ」
焦げた魚をつついて食べる。
秀夫「すごくおいしいよ」
明子、顔をくしゃくしゃにする。

○西家・居間（朝）
T「十年後」
秀夫（77）が台所で魚を焼いている。
もうもうと上がる煙に、ガスを止め、慌てて皿に盛る
秀夫「また僕だけ年をとってしまったよ」

秀夫、食卓につき、仏壇に置かれた笑顔のままの遺影の明子を見る。

秀夫「焦げているほうがおいしいんだ」

秀夫、苦笑いで魚をつつく。

焼き魚の煙と線香の煙が哀しげに混ざっている。


さて、ト書などやや手を入れさせていただきましたが、最優秀作です。

あの日から　U・D

人物
前田荘太（17）高校生
前田実季（24）荘太の姉

○前田家・リビング（早朝）
前田荘太（17）が台所で朝ごはんを作っている。

Tシャツ短パンの前田実季（24）が、目を擦りながら入ってくる。

実季「あれ、起きてんの荘太だけ？お母さんは？」

荘太「寝てる。母さん、最近忙しいっぽいんだ。夜も帰ってくるの遅いし」

荘太、火を大きくするとフライパンがジャーと音をたてる。

乱暴にかき混ぜられる卵。

実季、目を丸くして覗き込む。

実季「へぇえ！　荘太が朝ごはん作ってんの！　あんた、見ない間に立派になったんねぇ」

荘太、頭をかきむしると、さっさと卵焼きを巻き終え、ふ

わりと皿に乗せる。

実季、ホーッと小さく拍手する。

実季「やるじゃーん！　あんた、ほんの2年前まで、毎朝私に叩き起こされてさあ、朝ごはんも食べんと、家飛び出していってたくせに」

実季、笑いながら小指で卵焼きの隅をつついて嘗める。

荘太、俯いて黙ったまま火を消す。

あたりがしんとなり、実季が指を唇に当てたまま荘太を見つめる。

荘太「……だって姉ちゃん、急に出てっちゃったからさぁ……」

実季、目を閉じて、荘太の背中をポンと叩く。

薄暗い台所に朝の光が差し込む。


ここで取り上げた作品を読むと、向田さんが目指したホームドラマの献立まで書く意味が分かるはず。

小説は「視点」を混在させないこと

人物「視点」を通すのが基本

「朝ごはん」の小説版です。

繰り返しますが、シナリオと違って小説では「視点」が問題とされます。

シナリオは設計図的な役割がありますので、ト書は神的（カメラ）視点で書かれます。小説は「私」や「僕」という一人称の場合はなおさら、「由美は」「高橋は」といった三人称でも、その人物の視点で通すことが求められます。視点者を変える場合は、章を変えたり、行を空けたりして、視点者が変わったことを読者に認識させなくてはいけない。

翻訳小説や一部の純文学小説、歴史小説などでは、視点の混在もありますが、小説のコンクール（大きな欠点と見なさないものもあるが）で、作者がこの「視点」ルールを理解しないまま書いていると、「基本を知らない」と減点されます。

例えばSさんの『勘違いできない』。冒頭から引用します。


「あ、マネージャー。入って」

モニターでまどかを確認した草木はマンションのドアロックをはずす。

いつものように草木の居る超高層高級マンションから見る景色は凄い。

まどかの住む処から見える同じ都内とは思えない。

「朝、早いね。もう少し寝られるのに」

「うーん。朝ごはん。一人より二人のほうがいいでしょ」

　部屋着姿の草木が着替え始める。


　視点の混在が分かりますか？　草木のセリフから入って、モニターでまどかの姿を見ているのも草木です。草木の視点かと思いきや、読者を混乱させるのは、同じセンテンスで続く次の文章、

　いつものように草木の居る超高層高級マンションから見る景色は凄い。まどかの住む処から見える同じ都内とは思えない。


　どうもこれは草木の部屋に入ってきたまどかの視点と思われます。草木の視点のままならば、草木が改めて自分の高層マンションから下界の風景を眺め、以前行ったことのあるまどかの部屋で見た光景と比較しているということになります。

　この後、二人が食事をしながら草木の結婚問題について会話をする。まどかは草木が結婚をしたら、彼のために朝食を作ることができなくなることに胸を衝かれる。最後のセンテンスはこうです。


　草木がプチトマトを口にほうり込み、ハムエッグをらくだのように縦に口を動かし、食べている。この目の前の日常がなくなるのだ。朝型になった草木の生活を垣間見ることもないと、まどかの視界はあっという間に涙でぼやけてきた。


　明らかにまどか視点です。

　このように、まどかの視点で通す小説で、冒頭の草木のセリフを活かすならば、続く行は例えば、

　草木の声がインターフォンから聞こえ、オートロックのドアが重々しく開く。まどかは……

としなくてはいけないわけです。

空白の一行にも意味がある

　もう一作、設定のおもしろさで優秀賞とした岸野由夏里さんの『天罰の味』。

　有紗がキッチンで二つの味噌汁椀に薬包紙の毒薬を入れている。毒薬を調達してくれたのは、親友の薬剤師の美冬。有紗は夫が美冬と浮気をしていることに気付いて、美冬に容疑がかかるように夫と一緒に死のうとしている。最後は

　有紗は味噌汁を一口飲んだ。

「何これ、もっと苦いものじゃない

の、罰って……？」

　こんなおいしいものも二度と口にできない、あと少しだけ生きていれば良かったかしら。神は最後まで冷徹だ。

　まさにそのとき、有紗の携帯にメールが入った。

「ごめんなさい。実はこの前、化学調味料を渡しました。有紗、死のうなんて考えないで。私、彼と浮気なんてしてないの、本当よ。美冬」

　有紗の体から一気に力が抜けていった。

　美冬はメールを打ち終えると、盗聴機器を片付けた。

「本当よ、浮気じゃない。昨日、彼と結婚の約束をしたんだから」


　最後のオチを美冬の視点にするなら、後ろから4行目の前を一行空けて、視点者が変わったことを読者に分からせるべきです。さて、最優秀作です。

お母さんの景色

水野祐三子

　味噌汁は、決して煮立たせてはいけない。

　保育士だったお母さんはいくつもの家事を同時進行していたから、いつも、お鍋の中がボコボコ音を立ててから、

「あーあ、またやっちゃった」

と口に出してガスの火を止めて、おたまで味噌汁を1回かき混ぜて澄ました顔をしていた。

　朝日が射すリビングと対面式のキッチンカウンターの中で、私はだし汁に味噌を溶かしてお鍋を火にかけたまま、お母さんと同じようにフライパンに卵を落とした。セーラー服の胸元に油がはねる。お父さんは両面焼き、信司は片面の半熟。好みは知っていても、火を止めるタイミングが分からない。

「男って、ワガママな生き物よねぇ」

　お母さんがここにいたら、秘密結社で作戦を立てる工作員みたいに、きっと一緒にほくそ笑む。

　コーヒーメーカーには触らない。お父さんが毎朝、豆から挽いて沸かすマンデリンは苦くて、一度牛乳をドバドバ注いでカフェオレにしたら、怒ったのはお母さんのほうだった。

　目玉焼きの湯気に煽られてガス台から顔を上げたら、お父さんが、カウンターの向こうに立って私を見ていた。その両目に涙が溢れ、唇をぎゅっと噛みしめている。この一年で

すっかり深くなった目尻の皺が震えている。

お父さんは顔を隠すように、キッチンに入って来てコーヒー豆を挽き始める。私の背中とお父さんの背中は、面と向かい合って腹を割るよりもずっと、多くを話している気がする。

階段を下りる足音がして、入ってきたのは信司だった。

「お、いい匂い。いいねぇ、朝飯」

髪の毛は大爆発、取りあえず着替えたらしい三中の制服はネクタイが曲がっている。

「さすが姉ちゃん。明日はオレ、作るよ」

「当たり前だろ。私だって寝坊したいワ」

「おっけぇーい」


間延びした声と欠伸を残し、信司は洗面所へ向かう。やがて鏡と対面して、

「なんだこれ！ どうなってるー！」

と、まるで寝ぐせが誰かのせいみたいに叫ぶのだろう。お父さんはリビングのソファに戻って新聞を広げている。

ああ、お母さんは毎朝、こんな景色を見ていたのか。

これでもかと降り注ぐ朝日が眩しくて、右手で目をこする私のそばで、味噌汁がボコボコ音を立てる。私はさりげなく火を止めて、おたまで味噌汁を1回かき混ぜた。

第3章 添削講座 シナリオと小説作品10のアプローチ

レッスン6「約束」

「カセ」が物語をおもしろくする

主人公たちは前に進む

「約束」のシナリオ版です。

物語をおもしろくする要素のひとつに「カセ（枷）」があります。手かせ、足かせのカセで、動きを制約する道具。

登場人物は物語の中で「動機」があって、「目的」へと突き進むことが求められます。

「物語の主人公たちはいつも引き返さずに前に進んだ」

というのは、『ロード・オブ・ザ・リング　二つの塔』に出てくる大好きなセリフです。目的に向かって必死に戦う人物に、観客（読者）は感情移入し、ガンバレと応援することができます。

主人公が何の困難もなく、目的に到達したのではおもしろくないし、物語になりません。進もうとする人物にトラブル、障害が降りかかるわけですが、その要因としてのカセを科するわけです。

それがトラブルの種となったり、葛藤を生んだりする。ロープで身体を縛られていて、目の前の時限爆弾が……というのは分かりやすい物理的なカセ（障害、制約）です。

その人物の生い立ちや宿命、親の期待、病気はもちろん、地位や仕事、家庭、さらには人生の目的、目標さえもカセになります。「約束」は言葉としては美しいのですが、精神や状況を縛る代表的なカセのひとつです。

約束をカセとして最もドラマチックに活かした作品こそ、太宰治の『走れメロス』でしょう。メロスは親友セリヌンティアスとの約束を守るために、（葛藤もしつつ）戻ろうと必死に走り続ける。処刑に間に合うか？　というタイムリミットもカセになっています。

今回、こうした「美しい約束」の物語は少なく、約束を破られることの悲しさ、虚しさを描いた話が目立ちました。

設定として多かったのは、別れた恋人同士や同級生たちが、何十年後かの再会を約束するが、という話。そしてもうひとつは、誓った愛や信頼が裏切られるという話で、それも裏切るのはほとんど男のほうでした。やっぱり約束を破るのは男なんでしょうか？

約束を破る男たちに女は

で、この似た設定、テーマ性であっても作者によって描き方が違うという例として、入選の3作品をご紹介しましょう。

まず佐藤容子さんの『それでも…』。

寺田家の部屋では、夕飯のおかずや皿が散乱していて、髪も乱れたままの寺田良子（27）がへたりこんで割れた皿の破片を拾っている。良子は大粒の涙を流しながら深呼吸し、「大丈夫、大丈夫」と呟く。


玄関のドアが乱暴に開く音に、良子は身を竦ませたものの、よろめきながら立ち上がる。

寺田正（29）の声が家に響く。

寺田「おい！　財布が空だ、おいっ！」

良子「は、はい、すいません……」

玄関へ、小走りで駆けていく良子。
○良子の部屋（夜）
寺田の怒鳴り声と、何かをひっくり返す音。

机の上に置かれたボロボロの手紙。

「十年後、27歳の私は幸せですか？

子供が2人いて、素敵な旦那さんがいますか？　あくまでも、私の理想ですけど……

きっとその約束を叶えます。

楽しみです……」


人生はかくも悲しい。

もっとシビアな展開で、恐ろしい富田順子さん『指切りげんまん』。

川本家の薄暗いリビングで、川本優香（33）が裁縫箱を出し、そこから次々と縫い針を取り出す。優香の視線の先に、おびえた目の夫、賢治（36）が両手両脚を縛られ、タオルで猿ぐつわをされている。

○（回想）ホテル一室・内（夜）
熱いキスをする優香と川本。

側には結婚式のウエルカムボード、リングピロー。結婚証明書など。

優香「一生、私だけを愛してね」
川本「もちろんだよ。他の女には目
　もくれない。一生優香だけだよ。
　約束する」
　優香、川本に小指をからませる。
優香「絶対だよ。指切りげんまん嘘
　ついたら針千本飲～ます」
　再び熱いキスを交わす優香と川本。

○川本家・リビング内（夜）
　ラブホテルを出てくる川本と若い女の2ショット写真を手に取る優香。
優香「（鼻歌で）指切りげんま～ん」
　写真の上に数十本の針をばらまく。
優香「針千本飲～ます……約束よ、
　口開けて」
　優香、針を乗せた写真を手に川本に近づき、口元のタオルを外す。
　川本の見開いた眼が血走る。

回想シーンを挟むのではなく、こちらをトップシーンとして、現在のリビングのシーンにつなげて、優香は何か（例えば夫の川本の下着）を縫いながら「嘘ついたら」の鼻歌を口ずさんでいて、その後ろに縛られている川本がいて、としたほうが効果的でしょう。

誓いの言葉がカセになる

この二作とテイストが似ているけど、セリフの引用と場面転換が巧みなこちらを最優秀作としました。

あの日の誓い
本門かおる

人物
片瀬霧子（28）
片瀬篤（28）その夫
神父

○教会・外観
　晴れ渡った空に鐘の音が高らかに響く。
神父の声「霧子、貴女はここにいる
　篤を、病める時も健やかなる時も、
　富める時も貧しき時も愛し、敬い、
　慈しむことを誓いますか？」

○同・中
霧子の声「誓います！」
　神父の前に立つウエディング姿の片瀬霧子（28）。

隣にモーニングの片瀬篤(28)。

霧子、篤に微笑みかけ、そっと自身のお腹に手を当てる。

○アパート・外観(夕)
古びた木造アパート。

篤の声「何やってンだ～てめえは！」
何かを壁に叩きつける音。

○片瀬家・部屋・中(夕)
酒瓶などが散乱している中でいびきをかいている篤。

青あざのできた霧子が壁にもたれ、小さな骨壺を抱いて腫れ上がった目元で転がっている結婚式の写真を見つめる。


霧子「(呟き)……貧しき時も病める時も」

フラリとキッチンへ向かう霧子。

戻ってきた霧子の手には包丁が握られている。

霧子「誓います！」
篤めがけて包丁を振り下ろす霧子。

『指切りげんまん』のおなじみの呪文、そして当たり前のように結婚式で唱えられる誓いの言葉は、「約束」という恐ろしいカセにもなります。

フィクションには何が必要か

〝目からまなこが落ちた〟

「約束」の小説版です。

内容に触れる前に文章的な記述について。この応募も7～8割がワープロ原稿で、手書きに比べると誤字脱字は減りましたが、それでも時々驚くような変換ミスがあります。今回だと、**〝前を歩くのが絵美だと築いた。〟**とか、**〝結子は読みかけの本を持って別途に腰かけた。〟**(そもそもベットではなくベッドです)明らかに読み返していない。

コンクールなどへの応募の心得ですが、出す前に文字だけのチェックをしましょう。あまりに誤字脱字が多いと物書きとしての資質が問われます。

以前ですが**〝目からまなこが落ちた。〟**というのもあって、吹き出したこともあります。これは単なる誤記なのか、書き手の思い込みなのかは不明ですが。

また、パソコン原稿の弊害のひとつが、やたらと難解な表記が増えたこと。**〝暫くして〟〝頭の良い奴だ〟〝言い及ぶが如くに〟〝綺麗に片付いた一画〟〝心尽くしの饗宴を催す〟〝夕闇迫る或る黄昏時に〟**

などなど、文字面を追っているだけで頭痛がしてきます。

　意図的に難しい漢字を使う場合もあるでしょうが、難読語にはルビをふるなり、開いて（ひらがなにして）読みやすくする配慮を忘れないようにしましょう。

　また文字に掛かる修飾語が気になることも。Fさんの『イチゴとテントウムシ』。子供の頃に結婚の約束をした裕梨が、十年後に拓馬の家を訪れる。拓馬は不在で、部屋で待つように祖母に告げられる。

> 机の一角を見て、息が止まった。亡くなった拓馬くんのお母さんの写真と、プラスチックのイチゴがついたヘアゴム。

　という一文で、読者は、「えっ、拓馬くんは死んでるの？」と思う。その後の描写で拓馬くんの声がして、

> 初めて聞く低い声。視界の隅に金髪が見える、見なくても拓馬くんなのはわかる。

　という文で、まるで拓馬くんが幽霊で出てきた？　とも読める。そうではなく十年後の再会と分かるのですがまずは、

> 拓馬くんの亡くなったお母さんの写真

と書いてくれないと、読者を混乱させるままに進んでいました。

エッセイと小説の境目は？

　さて、小説はこうした文章による描写で成立します。皆さんの作品を読んでいて「これは小説だろうか？」としばしば思います。あらすじ（プロット）になってしまっていたり、エッセイのような作品です。

　あらすじ的な作品についてはいずれ言及しますが、難しいのはエッセイ風作品について。例えばKさんの『曖昧だった約束』。

〝母が死んで翌年の命日に、僕は旅に出た。〟という印象的な書き出しで始まり、母が亡くなる前に望んでいた四国八十八箇所の巡礼旅に出る。そこに至るまでの経緯が書かれていて、弘法大師が修行をしたと伝えられる洞窟に、僕も座ってみるという場面になる。

　洞窟から見える空に、子供の頃の大好物で、母が焼いてくれていたクッキーの魚型そっくりの雲が浮かんでいるのが見える。懐かしい母との思い出に浸っていると、雲はすぐに消えて、目の錯覚だったかもしれないと僕は思う。最後の文章は心に染みます。

洞窟を出て十分くらい歩いた。振り返って水平線のほうを見てみると、雲の切れ間から光が降り注ぎ海面を照らしていた。でも僕には、光が海から空に向かって昇っているように見えた。ふいに、〝そうか、母さんは旅だったんだな〟と実感し涙がとまらなくなった。

　その時、背中のリュックが少し軽くなった気がしたのである。


エッセイ（随筆）は作者自身の体験や思いを自由に書くもので、多少の脚色や誇張は許されるとしても、フィクションであってはいけない。作者のKさんは50代の女性ですので、〝僕の旅〟として書かれている本作はフィクションになります。

　ただ若い僕（年齢は不明）のエッセイ（旅行体験記）としても読めます。つまりフィクション的な造りが弱いとも言えるわけです。その境界はどこにあるのか？　皆さんの作品を読んでいて、ずっとこのことが引っかかっています。このフィクション性に関しても、いずれ考察していきたいと思います。

作者の文体で小説とする

最優秀作品も、ある意味プロット的な印象もなくはないし、ジャンルとしては児童文学、童話かもしれません。

待ち続けた丘の木

鈴イチ子

　村人に丘の木と呼ばれるコブシの木は、丈高く空に伸びた姿を白い花で覆い尽くし、「きれいだね」と可愛い手で幹を撫でてくれた小さな男の子を、今年も待った。

　コブシの木がまだ若木だった頃、小さな男の子は花の時季になると、何時もそうしてくれたのだった。温かい手が幹に触れると、コブシの心は震え、嬉しさに白い花が揺れた。

　その子は何時だか、言った。

「ぼくんちには白いモクレンがあるよ。花がさくと『きれいね』って、母さんはいつもみきをさすってた。でも母さんはきょ年なくなった。今年はぼくがそれをしてあげるの。するとモクレンはきみみたいにふるえて、花びらをゆらすんだ。きみたちはしんせきなの？　ぼくの言うことがわかるし、葉っぱより花がさきにさくのも、おんなじだね」

「そう、ぼく達、しんせきなんだよ」

そんな話をしたり、花をほめてもらったりして、コブシの木と小さな男の子は楽しい時を過ごしたのだった。

　ある春の日、その子はコブシの木に言った。

「今日はきみと遊べないんだ。これから町のデパートに行くの。お子様ランチを食べて、屋上のメリーゴーランドにも乗るんだ。おもちゃもいっぱい買ってもらうの。そうゝゝきみにおみやげ買ってくるよ。小さな鈴がいいね。枝にぶら下げるとリンゝゝと鳴るやつ。父さんが駅で待ってるから」と、紺のブレザーで装ったその子は、スキップで丘を下った。

　それっきり、その子は帰らなかった。コブシの木は男の子を待ち続けた。いつしか若木は五メートルを超える大木になった。

　ある日、丘を登ってくる若者があった。コブシの木は近づく若者に「あっ」と思った。澄んだ目もやさしげな口元も、あの男の子に似ている。思わず「お帰り」と、コブシは言った。若者にはもう木の声は聞こえない。

「随分大きくなったね。そして相変わらずきれいだ。長い間待たせたね、約束の鈴だよ」

　若者は黄金色の真鍮の鈴を枝に結んだ。コブシは身を震わせ「ありがとう」と言った。若者は懐かしそうに幹を撫で、花の揺れる大木を見上げた。若木と遊んだ遠い日が若者に甦って行く。若者の目が濡れている。

　若者はコブシに手を上げ、丘を去った。その後ろ姿は肩を射貫かれたイヌワシにも似ている。コブシの木は、その姿に躍るようなスキップの小さな男の子を重ね合わせ、深い溜息をついた。かすかに鈴が鳴っている。


　作者の鈴さんは75歳とのこと。この応募作は手書き原稿で、若干古めかしさも感じさせる漢字づかいもそのままに掲載しました。童話だとすると、漢字はもう少し開いたほうがいいかもしれません。

　ただ、この作品は淡々とした文章や文字づかい、全体の雰囲気がひとつの味わいになっています。**〝その後ろ姿は肩を射貫かれたイヌワシにも似ている。〟**といった表現はいかにも小説的で素晴らしい。

レッスン7「風」

「風」は光にも星にも食べ物にもなる

カツラやスカートはありがち

課題は「風」で、まずシナリオ版です。

前回の「約束」に続いてだったのですが、以前の本連載「実践シナリオ教室」でも同じ課題を出したことがありました。

そこでの見出しは〝見えない「風」をどう映像にするか？〟で、空気の流れである「風」を、どうト書で描くと、「風の描写」として表現できるか、ということを応募作の中から例をあげて述べていました。

ただ「風が吹いている」や「風が強い」というト書だと、映像表現としては弱い。「木の葉が揺れる」「桜の花びらが舞い上がる」というように、具体的な描写とすることでようやく映像として見えてくる。

ついでにいきなり宣伝ですが、「約束」や「風」など、以前の最優秀作を含めて連載をまとめた『1億人の超短編シナリオ実践添削教室』（※現在は電子書籍版のみ）、さらには『［超短編シナリオ］を書いて　小説とシナリオをものにする本』（共に言視舎）で読むことができます。さまざまなテクニック、秘訣が、実例をあげて書かれています。併せてお読みになると、より勉強になります。

さて、この以前の連載では、〝風で飛んだもののベスト3は、桜の花びら、離婚届け、カツラでした。花びらはともかく、後者の二つは大体どういう話かが推測できると思います。〟とも書いていました。

今回、風で飛んだものとしては、桜の花びらはやはり多かったのですが、前回2番目だった離婚届けはほとんどありませんでした。

カツラは変わらず多数。中にはドラマが描かれていて、優秀作にしようかと迷った作品もありましたが、結局、カツラが風に飛ばされて、という作品は選びませんでした。

　話の作りが似てくるというだけでなく、容姿や身体的な特徴などで笑いをとろうとしても、気持よく笑えないことが多いからです。

　離婚届けに代わって今回増えたのが、風で女の子のスカートがまくれて下着が見えて、という設定でした。男女の出会いや距離を縮めるきっかけとなってという話がほとんど。こうした、誰もが真っ先に思い浮かべるようなアクション、描写で作品にしようとすると、やはり似た話になりがちです。

風は見えるし、聞こえるし

　ともあれ、風で具体的に何かを飛ばしたり、風が作る音を描くことで、より映像的になります。優秀賞の飴子さんの『青空と橙』。

　アパートのベランダで洗濯物を干しているる綿子（26）、電話で浮気を謝る恋人の栄一（24）を責めている。栄一の必死の言い訳に、許そうかなと綿子は思いかける。

栄一の声「お前がいないとダメなんだよ……」
　綿子、橙色のTシャツを拡げて持ち上げて、しばらく見つめる。
　諦めがちに口を開いた時、突風が吹いてTシャツが空に飛ばされる。
　青い空に橙色がよく映えて見える。
綿子「……きれい」
栄一の声「え？　何が？」
綿子「アンタがうちに置いてたTシャツ」

　この後、遠くへと消える橙色を眺めながら、綿子は「別れよう」と電話を切ります。

　栗原美幸さんの『恋の風力』。

　高校の屋上で、加藤聡（17）がペットボトルの風車をいくつも並べる実験をしている。眺めていた田中麻美（17）の「映画に行こう」という誘いを断ると、麻美は告白された男の子と行くと告げる。激しく動揺する加藤。

　焦った加藤が顔を上げた瞬間、キスをする麻美。
　風が強く吹き、風車がいっせいに勢いよく回りだす。コードに繋がった電球が明るく光る。
麻美「やったね、スーパーエコデラックス！」
加藤「……お、おう」
麻美「私の、映画行きたいパワーのおかげ？　それとも、聡のやきもちパワーかな？」
加藤「……風の力だってば」
風車が優しく、カタカタ回っている。

音だけでなく、光も風を表す表現になっていて、まさに青春の一ページ。
溝口さと子さんの『あしたてんきになあれ』。真夏、山深い農村の木橋で、仙人とおぼしき老爺が釣り糸を垂れている。子供たちが駆け抜けていくが、その中の麦わら帽子の少女が立ち止まる。「何をしているの？」という少女の問いに、「風を捕まえるんじゃよ」と老爺。少女のワンピースの裾が風にはためくのに、老爺の垂らす釣り糸は、ピンと伸びたままで揺れない。

少女「つかまりそう？」
老爺「さてなあ。風は気まぐれだからのう」
少女「あ！」
指さす釣り糸がクルクル回る。
老爺「やっ！」
老爺が竿を引くと釣り糸がはね、あたりにキラキラと光が満ちる。
少女、まぶしそうに目をつぶる。
目を開くと、老爺の姿が消えていて、夕焼け空に一番星が輝く。
少女「お星様は風でできているのかなあ」
少女、首を傾げる。ヒグラシの声。
少女「あーした天気になあれ」
少女、歌いながら橋を駆けていく。

表現の工夫で新しさが生まれる

風は確かに空気の移動にすぎませんが、星にもなり得る。これも映像の拡がりです。さらに人物たちのドラマを描いているこちらを最優秀作としました。

オンリーラブ
西方まぁき

人物
松村仁（19）小劇団の役者
星野真由（20）フリーター

○アパート・中
ガラス窓に打ちつける無数の

雨粒。
窓越しに見える風で乱舞する風鈴。
ラジオから雑音混じりの台風情報。
布団で裸で煙草を吸う松村仁(19)。
隣で眠る裸の星野真由(20)。
煙草の煙が真由の顔にかかる。
真由、ゆっくり目を覚まし松村を見る。
真由「おなかすいた……」
床に転がるビールの空き缶、スナック菓子の袋、小劇団の芝居のチラシ。
松村、真由にくちづけをする。
松村「人間て、あんがい死なないもんだな」
放置された水道代やガス代の督促状。
松村、真由の首筋から胸を愛撫する。
真由「(もだえつつ) 私より先に逝かないでね」
突風で窓ガラスがガタタタッと揺れる。
閂が外れ、バーン!と窓が開く。
カーテンが舞い上がり雨風が吹き込む。
クルクルと室内を飛び回るゴミ。
松村、だるそうに立ち上がり、窓を閉めようとする。
真由、松村を制止し、外に向かって大きく口を開ける。
松村「なにやってんだよ」
真由「風を食べてる」
松村、バカにしたように笑う。
真由も笑う。
両手を広げ風を受け止める二人。

いつでもどこでも吹いている風ですが、表現は無限です。誰もが思いつくような描き方だと、表現だけでなく、話そのものもありきたりになりがちだということが、入選作を熟読するとお分かりいただけるはず。

俺の見た女はどのように美しいのか?

日本語は主語を省ける

「風」の小説版です。
皆さんの作品を読んでいてつくづく思うのは、〝小説は文章表現〟だという当たり前のことです。

シナリオももちろん文章で綴られるのですが、何度も申し上げているように設計図としての役割がありますので、まず小説の地の文に相当するト書は、できるだけ具体的で簡潔に書かれることが求められます。

またシナリオのト書は、例えば、〝**啓一、吊革にぶら下がって、大きなあくびをする。**〟というように、主語である人物を指定して動きなどを書いていきます。そこで〝**横のＯＬが鼻をつまんで、顔をしかめる。**〟という描写はいいとしても、〝**啓一の口がひどく臭かったからだ。**〟と書くのは、シナリオでは（間違いではないのですが）書き過ぎとされるおそれがあります。さらに〝**啓一はまるでセイウチのような巨体を震わせた。**〟と書くと小説的な表現になってしまいます。

けれども小説の場合は、こうした表現こそが、読者にイメージを的確に伝えることになります。優秀賞に選んだ舘利恵さんの『夏の訪れ』にはこういう文章があります。

> 海のそばに生まれ、育った者たちはみな海の言葉を話す。海が語りかけ、人々も海に言葉を返す。空で渦を巻く風が時と空間を超えて海の言葉を伝えてくれる。
>
> 彩は激しい風に髪の毛を吹き上げられながら海に言葉を投げた。
>
> 「彼と会わせてくれる？」

こうした表現はシナリオでは難しい。まさに小説ならではの優れた描写です。ただし、この『夏の訪れ』は独特の美しさと世界がありながら、やや文章のくどさも感じさせました。その理由のひとつは主語にあるのかと思いました。日本語は主語を省いても文章が成立したりします。特に、ほぼ全編が一人の視点者（主語）で展開する本作は、省略することでスッキリします。冒頭を引用しつつ、主語を消してみましょう。

> 彩は古い鉄骨の階段を上り、会社の屋上に出た。海風の香りが彩を包む。頬に塩を含んだ強い風が吹きつける。彩は長い髪を留めていた黒ゴムをほどき、風の流れに任せた。半袖の事務服の丸く開いた首筋にウエーブをかけた髪はからみつきもつれあい、風下に流れていく。
>
> 「私はこんなに若いのに」
>
> 唇に入った細い髪を指ではずし、彩はため息をついた。大学を卒業して二年目の夏。望めば彩の細い指先でも何かつかめそうな気がする二十三歳。しかし彩には何も無かった。お金も趣味と言えるほどのものも彼氏さえ。

> 彩はしばらく松林の向こうにぎらぎら光る青い波を見つめていた。海はいつも彩に優しかった。彩が望むものは何でも与えてくれた。それなのに、彩はいつからか海と語らうことをやめた。

いかがでしょう？　あまり省きすぎても分からなくなるのですが、主語だけでなく述語や指定語などを消しても意味が通じます。

すると先の引用も〝**人々も海に言葉を返す。**〟や〝**彩は激しい風に髪の毛を吹き上げられながら海に言葉を投げた。**〟としてもいいかもしれません。

人物の感覚をどう描けるか？

もちろん、小説は文章だけでなく、物語のおもしろさも求められます。最優秀作にするか迷った小田島忠彦さんの『不運』。

> 小守伝太郎は骨董古美術、古銭、切手などに興味があったが収集家ではない。ブローカーである。

という書き出し。伝太郎は二月の雪のちらつく寒い日に、小さな骨董屋で、使用済みの切手が入った古久谷の壺を見つけます。切手は全部価値のないものばかり。ところがふと壺の中をのぞいた伝太郎はドキリとします。壺の底に一枚だけ切手が張り付いている。未使用のその切手は、世に四枚しかない時価三千万円の明治初期の双竜切手だったから。

伝太郎は内心の動揺を隠し、古久谷の壺を三十五万円で求めます。家に帰るなり、ペチカに火を入れて、部屋を暖めながら、例の切手をはがし取る作業に取りかかります。以下、

> まず壺の口が小さいから割らねばならない。売れば三千万円になる切手の為だ、三十五万円の壺などと粉々にくだいた。そして底に貼り付いていた幻の大珍品の切手のはがし取りにその晩、伝太郎は五時間もついやした。
>
> 特殊な薬品を使い、薄いカミソリを使用して丹念にはがし取りを行った。そしてようやく切手をはがし取った時、室内は汗だくになるほど暑かった。その為に窓を開けた。風が入ってきて切手が舞い上がり、ペチカの火の中に消えていった……。

このオチに爆笑しました。本作の文体は主人公伝太郎の視点でありながら、全体に客観描写になっています。それはそれで一つの味わいですが、伝太郎の感覚で、切手を剝がす苦労であったり心情が

ナマで伝わってこない。これが惜しい。
最優秀作品はこちらです。

角を曲がれば

炭本祥子

出張が思っていたより早く終わって、どこか昼飯を食べられるところを探していた。真夏の外回りほど厳しいものはない。汗かきのうえ、夏バテ気味の俺は、いつも夏になると体重が減った。上着を脱いでネクタイを外す。シャツが背中に張り付いて気持ちが悪い、早く涼しいところに入りたかった。

バスや車が熱を放ちながら俺のそばを通り過ぎるのを見ながら、ハンカチで額の汗をぬぐったとき、角の細い路地に気が付いた。一度は通り過ぎたのに、思い直してまた戻ったのは、なぜだったのだろう。石畳は打ち水で濡れていて、両側の民家には葭簀（よしず）が立てかけられ、緑の中にいくつもの薄い青い朝顔が水玉みたいに咲いていた。炎天下なのにいかにも涼しげで、今咲いたみたいに元気だった。その先に、日傘をさした女の人が進んでいく。俺は用もないのに立ち止まってぼんやりその風景を眺めていた。その時、ちりちりと胸に響くような音が聞こえた。続いてちりちりちりん。軒並みつりさげられている風鈴が一斉に鳴りだしたのだった。奥から吹いてくる風に誘われるように俺は路地に足を踏み入れた。少し先の白い日傘はゆっくりと回っている。

黒猫がしっぽを立てながら俺の前を横切った。

どこかで見たような感覚だ。なんだかひどく懐かしい。白い日傘がゆっくり回っているのを俺はずいぶん前に見た覚えがある。母さんの後ろ姿だ。小さい頃、家を出て行った母の最期の記憶だ。あの時も陽炎が揺れるぐらい熱い夏だった。

女は日傘をたたんで一軒の家の引き戸を開けた。さっきの猫がいつの間にか女の足元にいて首をこすり付けている。女は猫を抱き上げて振り返った。

「すごい汗ね。冷たい水でもいかが」

これが妻の美知との出会いだった。

あの時俺を家までつけてきたのかと後に聞かれたが、そんなことはない。風のせいだと答える。

これは〝俺〟の一人称ですが、絶妙に主語を省いていていてリズムになっています。

ただし注文も。俺が路地に入って一斉に風鈴が鳴る描写は素晴らしいのに、黒猫との遭遇の後がいまひとつ。〝**なんだかひどく懐かしい。**〟と書かずに懐かしい感覚を伝えてほしい。

なによりほしいのは振り返った女（美知）の描写。そもそも日傘の女は着物なのか洋服なのか？

それこそを文章で表すのが小説です。

第3章 **添削講座** シナリオと小説作品10のアプローチ

レッスン8「階段」

「階段」は不倫への境界線？

「階段」である必然性があるか？

「階段」のシナリオ版です。

現実の場所としての階段を使う作品と、象徴（イメージ）として階段を出す作品に分かれるのでは、と予想しました。

イメージとしての階段バージョン、例えば死者が天国へと向かう階段（これで思い出すのは、かつて大ヒットしたコミックソング『帰って来たヨッパライ』でしょう）とか、人生を階段（ステップ）に見立てて、あるいは夢で階段を踏み外したり、死刑台の階段を上る、といった設定は101作品中10本ほどでしたので、予想よりは多くありませんでした。

場所として一番多かったのは、神社仏閣の階段、次に家の二階への階段、駅の階段の順で、10数本ずつ。それから学校内、アパートとマンション、会社など。

気になったのは、ただ場所だけの階段で展開する話です。例えば、会社の階段で私的なケータイメールを打っていたら、その相手が別の女の子といちゃいちゃしているのを目撃して……というようなな。これだと、その場所を会社の廊下とか、倉庫とか会議室に置き換えても成立してしまいます。

今回の「階段」に限りませんが、他の課題の場合であっても同様です。あるいは『公募ガイド』誌に出ているさまざまな募集（小説に限らずエッセイや詩、川柳、コピーなどなんでも）には条件が定まっている応募が多い。こうした応募の場合、その条件をきちんと満たした上で、新しさなり完成度でどう勝負できるかがポイントです。そうした面からも作品を見直して下さい。

階段を上るとどこへ行く？

今回、いくつか傾向があり、家の階段で一番多かったのは、二階にいるのが引きこもりの子で、下の親との断絶、境界としての階段、という作品でした。

神社仏閣、あるいは学校の階段で多かったのは恋のきっかけなり、初めてのキスとしての場所、それも身長差を段差でクリアして、という爽やか系が目立ちました。

また、以前の課題の「交差点」で、誰かと出会ったりすれ違ったりする場所という設定のせいか、いわゆるユーレイネタが多かったと述べました。今回もユーレイだけでなく、階段が異空間と繋がる場所で、という設定もいつも以上に多かった。

優秀賞の中のイメージバージョンで、正面から使った嶝厚駕さんの『光が射す階段』。

陣内史郎（72）が虚ろな目で階段を登っていると、小さな体の八坂海吉（0）が降りてくるのと出会う。海吉は陣内に「せっかくですから、何か人生のアドバイスをいただけますか？ 忘れてしまうでしょうけど」と頼む。陣内は「私のようになるな」と告げると、海吉が「どんな生涯を?」と尋ねる。以下、

陣内「情けない人生だ。意地になって娘を勘当し、妻を心労で死なせてしまった」

陣内は苦い微笑みを見せる。

陣内「君はどこへ行くんだい？」

海吉「幸せな夫婦のもとに行けるのだそうです。海吉という名前を貰って」

陣内「そうかそうか。それは素晴らしい」

海吉「父が海人、母が吉乃というのだそうで」

陣内「吉乃……？」

海吉「それでは、行ってまいります」

お辞儀をして海吉は去る。

陣内が追おうとすると、下の段がなくなっている。

陣内は微笑み、再び階段を登り始める。

あの世への階段という設定は、かなり

ありがちになる危険性が高いのですが、この作品のように、描写としてのイメージをかき立ててくれ、余韻を与える完成度が高くなれば評価できるのです。

決め手は映像イメージ

さて、もうひとつ今回、階段が不倫の場として使われる作品も多数ありました。最優秀を争った二作も、階段が関係性を越える境界として使われていました。

まず伊藤香織さんの『ここからは何も見えない』。6年になる下半身マヒの前田誠司（51）を、妻の律子（46）が車イスに乗せて出掛ける。律子は「完治しますように」と書かれた絵馬を誠司に渡し、神社へと向かう。以下、

○神社前・階段下（夕）
　石段があり、上った所に鳥居が見える。
　誠司が乗った車イスを押す律子がきて、車イスのロックをかける。
律子「じゃ、お参りしてくるわ」
　律子、足早に石段を上っていく。
　誠司、笑顔で絵馬をかかげ、
誠司「律子」
　律子、足を止め、最上段を見上げる。
　誠司、絵馬をポケットにしまう。
誠司「上は、いい眺めだろうな」
律子「この階段の上からは何も見えないわ」
　律子、振り返らずに石段を上っていく。

○境内の裏手（夕）
　律子が男と抱き合っている。
○神社前・階段下（夕）
　誠司、車イスのロックを自分で外し、長い下り坂を下っていく。

この不倫物は怖いですし、階段である必然性もあります。ただ残念なのは、最後の誠司の行動の意図がもうひとつ分かりにくい。

最優秀作はワンシーンで、似た危ない関係性を描いています。

下り階段

世古雄也

人物
野際正美（36）主婦

桐戸良平（32）正美の不倫相手
野際圭一（40）正美の夫

○アパート・外（夜）
　野際正美（36）と桐戸良平（32）が、二階の廊下で寂しそうに見つめ合っている。
桐戸「じゃあ、また」
正美「うん……」
　後ろを向き、廊下を進んでいく桐戸。桐戸の後ろ姿を名残惜しそうに見つめる正美。首のネックレスをグッと握り、意を決する。
正美「……待って！」
　呼び止められ、振り返る桐戸。
　桐戸に抱きつき、無理やり唇を奪う正美。
桐戸「！」

　慌てて、正美を引き剝がす。
桐戸「マズイですって！　旦那さん、帰ってくるんでしょ⁉」
　焦る桐戸をじっと睨む正美。
　チラリと、廊下の先、階段を一瞥する。
正美「もう、下っていくのはイヤなの……！」
　再び桐戸にしがみつき、貪るように唇を奪う正美。
　桐戸、焦ってまた引き剝がそうとするが、うまくいかずにもみ合ってしまう。
　その弾みで首のネックレスがちぎれ、真珠があたりに飛び散る。
　そのまま廊下を転がっていき、階段をカタンカタンと転げ落ちていく。

　転げ落ちた先、階段の下で、野際圭一（40）の靴に一粒の真珠が当たる。

　タイトルならば『ここからは何も見えない』のほうに軍配が上がりますし、『下り階段』の正美の決めゼリフの意味が、もうひとつピンと来ない。ただ、階段を真珠が落ちていって、という映像イメージを評価しました。

「怪談」の怖さの決め手は幽霊ではありません

物語の原点は怪談にある

「階段」の小説版の発表です。
　さて、この課題では内心ですが期待したジャンルがありました。ダジャレではなく「怪談」「ホラー」です。

シナリオ版ではそれほど期待していませんでした。というのは、シナリオで読み手を怖がらせるのはかなり難しく、むしろ映像として見せることで、ようやく観客の心を凍らせることができます。ト書で〝**カーテンを開くと長い髪の女が立っている。高橋、悲鳴を上げる。**〟と書いても、（設定とか、前後の展開次第でもあるのですが）あまり怖くない。

　ところが小説は物語の設定はともあれ、文章表現を駆使することで、読者のイメージをかき立てることができます。特にこの応募のように、掌編、ショートショートという短さ、切れ味が決め手となる小説は、怪談、不思議な味わいといったジャンルが向いています。

　そもそも物語の起源は、ストーリーテラーと呼ばれる語り部が聴衆に語ったことでしょうが、それらの多くは摩訶不思議な話、ファンタジー、怪異譚でした。人々は身近な得体の知れない何かであったり、死に対して敏感であり、それにまつわる物語にリアリティを得やすかったのでしょう。

　ですので、小説修業をする皆さんも、文章によって読者を怖がらせる怪談に挑戦してほしい。ただ、怖い話は苦手という人もいるでしょう。何も霊とか殺人鬼を出さなくてはいけないと言っているわけではありません。ミステリーでいいですし、例えば嫁姑、上司と部下の関係性からでも書けるはず。お嫁さんが鼻歌で寝たきりの姑の介護食を作っている、というだけで怖くできるわけです。

心理を伝える描写の積み重ねを

　前置きが長くなりましたが、今回、ホラーテイスト作品は期待通りで、いつも以上に多かった。もちろん、だからそうしたジャンル作を優先的に選んだわけではありません。

　優秀賞とした細田久さんの『告知』。〝この医師は僕より髪の毛は少ないが、きっと僕より若いと思う。〟という書き出しで、医師はレントゲン写真を示しながら、僕に「あと一カ月……持つかどうか……」と告げ、このことを妻に話してよいかと尋ねる。狼狽した僕は、考えさせてほしいと言い、診察室を飛び出して心を落ち着かせようとする。以下、

> 　10分くらい経っただろうか、何とか自分を取り戻したのでエレベーターホールまで行ったが、ステンレス製扉のモザイク模様に映った顔を見てダメだと思った。モザイク模様は鏡のように磨かれた部分とそうでない部分がデザインされたものだが、その磨かれた部分に映る顔の断片を繋ぎ合わせると、とても使えるものではなかった。このまま四階にある

病室に直行するわけにはいかない。すぐ横にある階段をゆっくり上り始めることにした。

　階段を上りながら真っ白になった頭は、ただ階段の段数を数え始めていた。一段二段三段……踊り場まではちょうど十段だった。踊り場で一八〇度回転し、二階を目指す。同じように十段で二階に辿り着いた。

　溜息をついて三階を目指す。さっきの医師の言葉が頭を廻って離れなくなる。パタパタと看護師が追い抜いて行った。三階に到達したときには目頭が熱くなっていたが、ここでまた顔をダメにはできない。グッと堪えた。

　何と言って病室に入るべきかと考えながら。四階への階段を上りだした。名案など浮かぶわけもない。踊り場を反転した時にはまた段差を数えていた。八段九段十段と。

　とうとう四階に辿り着いてしまった。僕の階段はここで終わった。右に曲がって三つ目の部屋だ、彼女はこれから天国への階段を上り始めなくてはならない。本当だろうか。


この小説の巧みさは、告知された患者が僕自身かと思わせて、実は妻であることを徐々に分からせていく運び。それと心理描写として、エレベーター扉のモザイク模様に映る僕の顔、そして階段を十段ずつ上っていくというディテールにあります。

　これが僕に与えた衝撃、怖さを伝えているわけです。ホラー小説ではありませんが、描写こそが決め手ということがお分かりでしょうか。

ありがち感を超える何かがあるか

　ということでジャンルとしてはホラー、サスペンスになるこの作品を最優秀としました。

七十八段目の蜘蛛

依田玲人

　鈴音がこの神社に来たのは七年ぶりだ。

　うっそうと木が茂る神社は薄暗く、七月だというのに涼しい。

　鳥居をくぐった先に長い階段がある。

　鈴音は階段を見上げると、一息入れてから上り始めた。

　この階段には噂がある。

　その噂話を小学生だった鈴音と愛

に教えてくれたのは用務員の佐々木さんだった。

七年前の放課後。

「あの神社には蜘蛛の神様がいてな。かわいい女の子がくると七十七段目と七十八段目の間に糸を張って引っかかるのを待っているんだ」

「ひっかかったらどうなるの」

鈴音が聞いた。

「蜘蛛のお嫁さんになるんじゃないかな」

キモいー、ありえなーいと鈴音たちは笑った。

帰りに寄り道して神社に行った。

「せーの」鈴音のかけ声にあわせて、二人同時に七十八段目にあがった。

「やっぱり、なにもなかったね……愛？」


愛は足首を押さえて黙っていた。

「愛、どうしたの？」

愛は指を目の高さまで持ち上げた。

蜘蛛の糸が夕陽に光った。

二日後、愛は姿を消した。

愛は先週、七年ぶりに見つかった。

佐々木さんが自殺し、遺書には愛を殺して自宅の庭に埋めたと書いてあった。

愛がいなくなった日。怯えていた愛に佐々木さんに相談してみたらと言ったのは鈴音だった。佐々木さんはお祓いをしてあげると愛を神社に呼び出した。愛に後ろから襲いかかった後、首を絞めて殺した。

愛を心配して後をつけていた鈴音はその様子を遠くからずっと見ていた。


愛が私よりかわいいから、こんな目にあうのよ——

鈴音は七十八段目で立ち止まった。

蜘蛛が一匹いた。

「ごめんね、愛」

鈴音は、蜘蛛を踏み殺した。


ホラーや怪談というと、皆さんは死者、幽霊に直結させがちです。今回も階段で霊と遭遇してしまう話は多かった。特に、主人公である私自身が実は幽霊だった、「あんたは死んでいるんだよ」と伝えられる、というオチの作品が数本ありました。このオチは、この手の怪談ものではかなりありがちで、使い古されたパターンです。

だからユーレイものがダメという意味ではありません。大事なことは、そうしたありがち感を払拭するだけの何かがあるか、描写として読者を引っ張っていけるかなのです。

もう一作、最優秀と争ったのは篠原はじめさんの『お腹に落し物』。32歳で体重80キロの私の彼の隆史は20歳。隆史は腹フェチで、私の段々状の階段腹をこよなく愛していて、という異色作。この階段腹でさくらんぼを転がしたり、ハチミツを垂らして舐めたりしてという二人の性描写が笑わせました。

第3章 添削講座 シナリオと小説作品10のアプローチ

レッスン9「コスモス」

「コスモス」は夢幻や死の世界がよく似合う

凝縮された俳句に勝てるか？

「コスモス」のシナリオ版の発表です。

漢字では「秋桜」で、おなじみの初秋の花ですが、もうひとつ「COSMOS」は、「宇宙」という意味もありますね。これは「秩序と調和のある世界」の意で、「飾り、装身具」を意味するギリシャ語が元とのこと。

こちらの「宇宙」として扱った作品は数本のみで、花のほうを題材としたものがほとんどでした。これもいくつか傾向があって、意外だったのですが、「死」の象徴であったり、死者と関連させる話がとても多かった。

故人が好きで、仏壇やお墓参りで供えたり、お墓の傍に咲いていて、在りし日を偲んでという話が特に多く、亡き祖母が大事に持っていたコスモスの押し花は、配偶者とは別の男性からのもので、といった作品も数本。

桜ならぬコスモスの下に死体を埋めていて、だからあんなたたずまいで美しいのだ、というミステリータッチも目立ちました。コスモスはどうも死を連想させるようです。また、その関連でファンタジー世界へと誘う花という使い方もたくさんありました。

実際手元にある歳時記を開いてみると、

掲げられている例句の中には、

コスモスの彼方の夜が誘ひゐし　松澤昭

あきざくら咽喉に穴あく情死かな　宇多喜代子

コスモスやあの世の鳥や人に似る　市来宗翁

眼を開けて見る夢もあり秋桜　青木伊佐恵

など、確かにそうしたたたずまいが似合う花なのかもしれません。

それにしても例えば宇多喜代子さんの強烈な句は、映像イメージだけでなくさまざまな想像をかき立てます。皆さんの六〇〇字シナリオは、この五七五が切り取った世界と比べてドラマが描かれているでしょうか？

「コスモス」の花言葉は？

個別の使い方としては、最近の流行なのかチョコレートの香りをさせるというチョコレートコスモスや、山口百恵のヒット曲を扱ったものも数本ずつ。

優秀賞から一作だけ、宇宙として活かしていた玉井寿視さんの『宇宙より君を想う』。

地球が眼下に見える宇宙ステーションで、秋野輝彦（38）が、使い古された手帳を手に残してきた妻の綾子を思う。同僚の飛行士のベン・スミス（38）が「ホームシックかい？」とからかう。「そんなんじゃないさ」と手帳を開いて、コスモスの押し花が挟まれているのを見せる。以下、

スミス「美しいですね。贈り物ですか？」

　秋野から押し花を受け取り、スミスは口にする。対する秋野は黙って首を横に振る。秋野は窓から地球を黙視する。戻ってきたコスモスの押し花を地球に重ね合わせる。

秋野「何しているだろうな、あいつ……」

　そう呟いて、手帳の中に押し花をそっと仕舞い込む。

スミス「やっぱり、ホームシックね、ホテル」

　秋野の背中を二回叩く。

秋野「うるさいぞ」

　手帳を仕舞い、持ち場に戻る前に、もう一度、ぽかりと浮かぶ地球を見る。

宇宙にいて、妻から貰ったコスモスの

押し花と地球を重ね合わせてという描写を評価しましたが、とてももったいない作品です。

　彼らは宇宙ステーションで何をしているのでしょう？　枯れようとしている地球があって、救うための任務なのだとか、綾子は地球同様に病なのだ、といった背景を感じさせるだけで、スミスのいうホームシックだけではない哀しさなりのドラマが描けるはず。

　花言葉を扱った心温まる作品も多数でしたが、むしろ強烈さがたまらない北村俊樹さんの『少女の純潔』。

　愛人の美山玲子（23）のマンション外で、植木良一（32）が妻へ「今日中にケリをつける。子供も堕ろしてもらうさ」と言い訳電話をしている。笑顔で迎え入れてくれた玲子に、内心びくびくだった植木は、ひと安心して部屋へ入ろうとする。以下、

　　玲子、植木をいきなり壁に押さえつけ、玄関前に飾られていたピンク色のコスモスを植木の口にねじこむ。

玲子「綺麗でしょ、ピンクのコスモス。花言葉は少女の純潔。弄んでくれて、ありがと」

　　驚きで固まったままの植木。

　　玲子、後ろ手に隠し持っていた包丁で植木の喉元を一気に切り裂く。

　　血飛沫が噴き出し、口元のコスモスが赤く染まっていく。

玲子「赤いコスモスは調和を意味するの」

　　倒れながら激しく痙攣する植木。

　　玲子、気持ちよさそうに笑っている。唇についた花びらをクシャと食べる。

コスモス畑では霊も美しい

最優秀作は美しさとファンタジー色を巧みに一致させて、キャラクターのよさが効果的なこの作品としました。

短いけれど恋だった　　小野田佳恵

　人物
井筒流星（19）専門学校生
今井淳（48）畑の主
加瀬ほのか（19）井筒の彼女

○コスモス畑の手前の道（朝）
　　一面の淡いピンクのコスモス畑。

向こうには青い山々。手前の細い道路を猛スピードで来る白い改造車。

急ブレーキで止まる。いかにもヤンキー然とした井筒流星（19）が降りる。

畑の隅で作業中の今井淳（48）、胡散臭そうに井筒を見ないようにしている。

井筒「この畑の人っすか？」

今井にドスドスと近づく。

今井「（ビビりつつ）あ、いえ……はい」

井筒「コスモス下さい。花畑みたいにしたいんす。百本とか二百本とか千本とか」

今井「駄目、切り花用は向こうにあるから」

井筒「ここじゃないとダメなんす。ここ彼女との思い出の場所なんす。すっごくいい子なんす。間に合わないんす。死にかけてるんす。愛してるんす。見せてやりたいんす」

急に風が吹きコスモスがざっと揺れる。

畑の中央がボウッと明るくなり、清楚なワンピースの加瀬ほのか（19）が現れる。ほのかだけが輝いている。

井筒「ほのか！」

ほのかの口が「ありがとう」と動き、井筒ににっこりと笑いかける。

ほのかの姿すうっと消え、元の景色。

井筒「……ありがとうございました……」

我に返った今井、コスモスの花を渡し、
今井「持っていけ……」

井筒、深々と頭を下げる。その眼に涙。


まさに前出の青木伊佐恵さんの句のようです。このタイトルもとてもいい。井筒流星がいかにも好青年ではなく、ヤンキーというのが意外性として効いています。コスモスの花と花畑ならば、こうしたファンタジーもとてもよく似合いますね。

フィクションとするためには何が必要か？

「いい話」はエッセイになりがち？

「コスモス」の小説版です。

以前、「エッセイと小説の違いは何だ

ろう?」という疑問を述べました。

シナリオは映像の設計図としての役割がありますので、イマイチな作品でもエッセイという印象はあまり出てきません。ですが、この枚数の小説だと、フィクションとして書かれたものであろうと、「エッセイみたいだな」と思う作品が、がぜん増えてきます。

ショートショートといえる作品は、何らかのオチやひねりの結末があったりするはずで、それは明らかにエッセイとは違ってきます。また短編であっても数10枚だったりすると、やはり設定であったりストーリー性がないともちません。中編、長編と枚数が増えるに従い、ストーリーが重要になります。

この教室を通して次第に見えてきたのは、そうした読後感で終わる小説の共通した特徴があって、ひとつは「いい話」です。

例えば、以前最優秀もとったことのあるKさんの『友達』。

嬉しいことがあったのだろうか。満面の笑みを浮かべた野球少年が、自転車で目の前を横切った。私はいつものように後ろ姿を見送る。

という書き出しで、私は小学2、3年生くらいの少年が自転車の立ちこぎで急な坂道を上っていくのを見る。が少年は、あとちょっとで力尽きて降りてしまう。私は妊婦で、運動を兼ねて買い物に行く毎日だった。

数日後、気分を悪くして木陰で休んでいると、少年が「おばちゃん、どないしたん?」と声をかけてくれた。お腹の大きな私を覚えていてくれたのだ。少年の母親も妊娠中だという。私と少年は会話を交わす。私は東京から大阪に引っ越したばかりで友達がいない。

「僕の小学校で、今度の日曜日、コスモス祭りやるねんで。コスモス僕らで植えて、迷路も作ったし。見に来てや」

そういって少年はまた自転車にまたがると、坂道を上り始める。今度は頂上まであとちょっとで体勢を立て直すと、とうとうてっぺんまでたどり着く。最後は、

誇らしげに右手をぐっと突き出す。夕日に逆光になって、ちいさな王者みたいだ。きっと嬉しそうに顔をくちゃくちゃにしているのだろう。気づけば私も笑っているのだった。

このタイトルが示すように、私が大阪に越してきて初めてできた友達だったという話ですが、(課題のコスモスの使い方が弱いというだけでなく)いわゆる心

温まるいい話で、「筆者が体験したことを書いたエッセイです」と言われても違和感がありません。

　もうひとつエッセイ的な作品に共通する要素があって、それは書き手の「感慨」がしみじみと綴られている作品です。それも「思い出話」とする設定に多いようです。

　やはり以前最優秀をとったことのあるUさんの『嫁ぐ日』。父親である私が、ゴールデンレトリバーの老犬どん兵衛の散歩に行く朝の場面から始まる。十年以上前に娘が「面倒をみるから」と食い下がって飼いはじめた。娘はその言葉通りにどん兵衛の世話をちゃんと続け、今日は娘が嫁ぐ日となった。そして、これから私がどん兵衛の散歩を担当することになった。そうした感慨を遊歩道に咲いているコスモスと、山口百恵のヒット曲の歌詞を重ねて書かれていました。

　作者は女性ですので、この作品も明らかにフィクションとして書かれています。今回、娘を嫁がせる親という話も多かったのですが、この作品のように、しみじみと幸せや万感の思いを語る作品が目立ちました。

　だからダメということではないのですが、でもやはり物足りなさが残りました。

　他にも戦時下を回顧した作品や、故人をコスモスに託して偲ぶ話、過去に住んだ家に咲いていたコスモスを懐かしく思うといった作品など。

「感慨」や「思い出」を小説とする

　優秀賞とした比嘉稔さんの『少女の純真』。

> コスモスには、宇宙という意味もあるんだよ。
> 覚え立ての知識をひけらかすと、
>
> 順ちゃんはくるっと回っておどけた笑みを見せた。制服のスカートがふわりと秋桜の花びらのように開いた。

という書き出しですが、これは学校帰りに主人公の健が、薄紫色に咲いたコスモス花壇を見ながら、一年前の順ちゃんを思い出していた。すると白い猫がコスモスの花壇に消えて、健は得体の知れない衝動に駆られて猫を追いかける。どこにも猫はいない。すると「コスモスには宇宙」という声が聞こえた気がする。以下、

> 順ちゃんの声が脳裏に浮かぶと同時に、よろめいて花の上に手をついた。
> 　と思ったら、暗い空間に浮かんでいた。星や星雲が見える。映画で見るような宇宙空間。そして、足下に

は青い地球が見え、吸いこまれていく。

気がついた時には、花壇の前の歩道にしゃがみこんでいた。

「健兄ちゃん、だいじょうぶ？」

制服姿の順ちゃんが、心配そうな顔でのぞきこんでいる。

「順ちゃん、どうして……」

よく見ると、制服が去年と違う。

「順ちゃん、高校生になったの？」

「健兄ちゃんたら、何言ってるのよ。四月から同じ高校じゃない」

順ちゃんは元気に笑った。

でも、二つ下の幼なじみ、順ちゃんは、去年の冬病気で亡くなっている。

「健兄ちゃん、あたし、ずっと健兄ちゃんのことが大好きだったんだよ」

「えっ？」

顔を上げると、順ちゃんの頬が赤く染まる。

「だからね……」

順ちゃんは足下にすりよってきた白い猫を抱き上げる。猫がこちらを見て、意味ありげににゃーっと鳴く。

そうか。秋桜の花言葉は「少女の純真」だった。ここは君の純真が生み出した別のコスモスなんだね。

前回のシナリオ版でも述べましたが、コスモスは死者が似合うようで、小説版でもこうしたファンタジー仕立てであったり、霊的に現れるという作品は多かった。

それはともかく、故人を思い出すというエッセイ的な作りとは違って、フィクション化されていることがお分かりでしょうか。

最優秀作もある意味「感慨」ですし、過去を懐かしく思う設定ですが、エッセイとは違う小説になっています。

私とコスモス、彼のコスモス

近藤真弓

コスモスが好き。

幼い頃、行政書士だった父が教えてくれた。コスモスは「真心」の象徴だと。行政書士のバッジはコスモスの花をモチーフにしているのと教えると、彼は、へぇそうなんだ、と感心顔をした。

暗い夜道を彼と二人で歩いていた。セーラー服の私と詰襟の彼。初秋の風が心地よかった。穏やかな闇の中に白いものを見つけた。コスモスの花壇。私はしゃがんで白い小さな花弁に指を触れた。「私、コスモスが好き」ぽつりと言うと、「僕もコスモスが好きだ」と彼が言った。けれど、なんだか見当違いなほうから彼の声が聞こえたので、振り返ると、背の高い彼は、じっと夜空を見上げていた。宇宙ってコスモスというんだ。アメリカの宇宙飛行士はアストロノート、ソ連の宇宙飛行士はコスモノートというのだと彼が教えてくれた。へぇそうなんだ、と私は彼を見上げた。

大きな彼と小さな私。幼い恋ゆえのつまらないすれ違いから、卒業前に別れてしまった。

その後私は平凡なりに色々な経験をした。また恋をして、結婚して、それから……。

時々夜空を見上げると彼のことを思い出した。夜空に浮かぶ白い星々は、まるでコスモスの花壇のようで。

二十年ぶりの同窓会で、彼の噂を聞いた。

同級生の誰よりも良い大学に入った彼は、今は小さな町工場で精密部品を作っているのだと。いつか町工場からロケットを飛ばすのが夢なのだと。あいつはでかい図体でいつまでも夢を見ていると、誰かが嗤った。

けれど私は、女友達と話しながら、耳はじっと彼の話題を追いかけた。

結婚して、離婚して、またひとりになって。つまらない、小さな私。

ただ今は、大きなあなたに会いたい。

☆

随分遅れてしまった。足早に夜道を行くと、ふと道端に小さな白い花を見つけた。

「僕もコスモスが好きだ」と答えた。

視線を下ろすと、彼女はコスモスの花壇の脇にしゃがみ込んでいた。小さくて白い花は、とても可憐で、彼女にぴったりだと思った。そんな彼女とも小さなすれ違いで別れてしまった。学生時代のことだ。

僕はいまだに宇宙ばかり見上げている。時々、大地に根ざした小さな彼女を思い出す。僕らの作ったロケットの打ち上げ計画が決定した時、真っ先に彼女の顔が浮かんだ。彼女は今日の同窓会に来ているだろうか。

今とても、きみに会いたい。僕は夜道を駆けた。

「感慨」や「思い出話」とフィクションとしての作りの違いがお分かりでしょうか?

第3章　**添削講座**　シナリオと小説作品10のアプローチ

レッスン10「コワイ話」

なぜ「コワイ話」を課題としたのか？

「エッセイと小説の違い」との関連です。

エッセイは基本的に日常や体験、思い出などから、書き手の思いや感慨を綴ったものです。若干の脚色なり作りは許されるとしても、フィクションであってはならない。

シナリオや小説にも、エッセイ風に書かれたもの、あるいは小説のジャンルには実体験を赤裸々に綴った私小説もあります。意図的にそうした味わいを活かしたフィクションであっても、物語としておもしろければ問題はありません。書き手の体験を「えっ、すごい、どうなるんだろう？」と思わせてくれたり、読み手の心が揺さぶられるように書かれていればですが。

ただ残念ながらそのレベルにまだ達していなくて、前述したように、シナリオであっても小説であっても、書き手の感慨がしみじみと語られただけのエッセイ風の作品が多く、正直あまりおもしろくない。見ず知らずの他人が披露する経験談や思い出話のほとんどが退屈でつまらないように。

で、いわゆる「いい話」に、そうした傾向が見られました。前講課題の「コスモス」ならば、故人が好きな花で、縁の人がしみじみと思い出すとか、ヒット曲

他人の思い出話は概ねつまらない

「コワイ話」のシナリオ版です。

この章のレッスン8の「階段」で、こうしたショートショート的な短い枚数では、いわゆる怪談、摩訶不思議な話がよく似合うと指摘しましたが、それを受けて課題を「コワイ話」にしました。

コワイ話は苦手という人もいるでしょうが、作家を目指す人は、こうしたジャンルにもぜひ挑戦してほしいと思った次第です。

もうひとつの狙いは、前講で述べた

を踏まえて、娘を嫁に出す両親の感慨といったような。それらはやはり「よくある話」「誰かの思い出話?」という読後感になってしまいます。

そこで「コワイ話」という課題にしてみたわけです。「コワイ話」ならば、そこに何らかの毒や悪であったり、負的、魔的な要素が入るでしょう。するとしみじみと感慨深いといった「いい話」は少なくなるのではないか。「コワイ話」に挑戦することで、フィクション、物語を作るというアプローチを意識してもらえるのでは、という狙いです。

ストーリーでは怖くならない

前置きが長くなりましたが、かなり難しかったかもしれません。わずかペラ(200字詰)3枚で、読み手をぞくりと怖がらせるには、書き手の腕が求められます。

それも皆さんの作品を読んでいて、怖さを醸し出すには、「ストーリーではなくて描写」が決め手ということも改めて認識しました。かなりの作品が、設定なりストーリーを処理するだけになっており、怖くない。これは今回の課題に限らず(ペラ3枚という短さでは特に)、強調してきたことですが。

殺人が繰り広げられるミステリーだったり、過去の因縁があって人物がコワイ目に遭うといった話が多かった。そうしたストーリー性に凝った作品の欠点として、セリフであれこれと説明していたり、3枚の中に柱が3つも4つもある作品になっていました。

けっして意図したのではなく、入選作の11本を見直したところ、8作がワンシーンで、3作が2シーンで書かれていて、3シーン以上ある作品はありませんでした。

優秀作とした森山淳一さん『死のゴール』もワンシーンです。○毒島家・庭、で毒島正(45)が日曜大工をしている。お腹の大きな妻の圭子(35)が来て、「何を作ってらっしゃるの?」と恐る恐る尋ねる。毒島は「生まれてくる子のベビーベッドさ」と得意気に答えつつ、昨夜の暴力を圭子に詫びる。毒島は酒が入ると人が変わってしまうのだ。以下、

> **圭子**「(頭を振り)でも、お腹を蹴られた時にはさすがに、ちょっと……」
> **毒島**「ご免よ。でも大丈夫だっただろ」
> 板にゴンゴンと釘を打ちつける。
> **圭子**「いいのよ……あなた……」
> 背後から毒島の身体を抱き締める。
> 突然、圭子の腹の中の胎児が

毒島の背中を蹴る。

　毒島は素っ頓狂な声を発した後、重心を失って前のめりに倒れる。

　弾みで板がひっくり返り、倒れてきた。

　毒島の眉間に飛び出た釘が刺し貫く。

　毒島は一瞬、痙攣した後で絶命。

　圭子、ポカンと眺めていたが、
圭子「(お腹を擦り)あなたは許せなかったのね……私は許せたのに」

　スマホが鳴り、圭子取り出す。

圭子「(出て)あっ、ミキちゃん? うん、元気よ。今もね、お腹蹴られちゃって……将来はサッカー選手ね……ふふふふ」


　楽しそうに笑って居間に戻っていく。


神田あいさんの『ステージに向かう二人』は、2シーンです。○森下家・寝室、で森下香(31)が鏡台の前で化粧をしている。

横でまじまじと見ている娘のくみ(5)が、「今日のママ、すごく綺麗、なぜ?」と感心すると、「今日はママにとって特別な日だからよ」と答える香。羨ましがるくみに香「まだ、早いけど、口紅なら薄くつけてあげるわね」。「やったー!」と喜ぶくみ。以下、

香「この口紅、二万円もするのよ。私だって　まだ三回しかつかってないんだから」
　そういいつつも機嫌よく、くみに口紅をつけてあげる香。
くみ「(鏡を見て)わあ、綺麗!」
香「えーい、今日は特別! ウォータープルーフのマスカラもつけてあげる! これ水に濡れてもにじまないのよ」
　くみにマスカラをつける香。
　鏡の中の二人、にっこり笑う。
香「さあ、そろそろいきましょう。今日の主役は、私たちよ!」
○葬儀場
　香の夫、森下隆彦の遺影と祭壇。

　凛と立つ、香とくみ。


この作品はまさにオチとしての2つ目のシーンが効果的です。最後でストンとひっくり返すショートショートの味わい。

日常に潜む怖さこそを

最優秀賞とした比嘉稔さんは、前講の「コスモス」小説版の優秀賞『少女の純真』の作者で、作品の一部を引用しました。この作品をコワイと思うかは個人差があるかもしれませんが。

我は神なるぞ

比嘉稔

人物
大西健太（28）会社員
中年男

○電車の中（夜）

夜7時過ぎ、満員電車の中。
大西健太（28）、ドア近くで人に挟まれ身動きできずに立っている。
大西の所から間に三人ほど置いて、グレーのくたびれた背広の中年男が半眼で、身体をユラユラさせて立っている。
禿頭で背は低く小太り、乗客の間に埋もれているように見える。

中年男「（呟きから次第にはっきりと）われは　かみなるぞ～。われはかみなるぞ～」

電車の揺れる音に唱和して、薄気味悪い声が車内に響く。
乗客は皆聞いていないふり。
じわじわと近くの乗客が離れていく。
正面で動けない大西、中年男と目を合わさないように顔をそむける。

中年男「われはかみなるぞ～。われはかみなるぞ～。われは……」

大西、身体を入れ替えようとするが、隣の男に肘で押し返される。

中年男「かみにはいけにえがいるぞよ～。かみにはいけにえがいるぞよ～」

大西、力をこめて背中を向けようとするが、寄ってきた乗客たちにじわじわと押し出されてしまう。
ついには流れとは逆に、中年男の真正面からべったりとくっつく体勢となる。
中年男は、かっと目を開け、にやっと笑う。大西の顔が恐怖に強ばる。

もちろん、森山さんの作品のようなナ

マな殺しの現場であったり、神田さんの夫の死といったドラマチックな出来事も怖い。また、今回吸血鬼や殺人鬼が登場したり、上記したような過去の因縁で人間が復讐する話もたくさんありました。そうしたそれこそホラー、怪談、ミステリーも描きようで怖くなりますし、入選とした作品もあります。

それでも比嘉さんの作品のように、ごく日常で遭遇してしまう体験（しかしエッセイではなく）のほうが怖いかもしれません。それもこれも描写が決め手です。

小説の文章力をつける最短最良の方法とは

「むじな」はどうして怖いのか？

「コワイ話」小説版です。

同じ課題でシナリオと小説を書いていただくという応募をすることで、両者の表現法の違いや共通点、さらにはシナリオ的手法が、小説創作にも大いに活用できることが見えてきた気がします。

さて「コワイ話」は、小説でも難しかったようです。「お～、こええ～」と心底震えるような作品はありませんでした。

ただ怪談や奇談で、読み手が怖いと思うかは、かなり個人差があるようです。読む時の心理状態であったり、体験値、環境といったことも影響するでしょう。ですので、落選だとしても気にする必要はありません。私との感性の不一致だと思って下さい。

ところで私が子供の頃に本当に怖くて、夜トイレにも行けなくなった怪談は、小泉八雲（ラフカディオ・ハーン）『怪談』の絵本バージョンの「むじな」でした。

暗い夜、帰り道を急ぐ商人が、お堀端で背を向けてさめざめと泣いている女を見かける。親切心で声をかけたら、女はくるりと向き直り、袖を下ろして片手でつるりと顔を撫でた。〝**見ると、女の顔には、目も鼻も口もないのだ。──きゃっと叫んで、商人は逃げ出した。**〟真っ暗な道を商人は逃げて逃げて、ようやく屋台の蕎麦屋の提灯を見つけて助けを求める。以下も角川文庫版『怪談・奇談』から。

> こんな恐ろしい目にあったあとでは、どんな明りでも、どんな仲間でも、ありがたかった。彼は蕎麦屋の足もとに転がりこんで、大声をだした。「ああ──ああ──ああ──」
> 「これ、これ」と蕎麦屋はぞんざいに言った。「まあ──どうしたんです。だれかに、どうかされたんですかい」
> 「いや──されも、どうも、しやしない」と彼は、あえぎあえぎ言った。「ただ……ああ！──ああ！」

「ただ、脅かされたんですかい」と蕎麦屋は、そっけなく尋ねた。「追剝にでも？」

「追剝じゃない――追剝じゃないんだ」と、おびえきった男は、なおもあえぎながら言った。「いたんだ……女がいたんだ――あの壕っぱたにね。ところが、その女が見せたんだ。……ああ――なにを見せたか、とても言えない」……

「へえ！……その女が見せたというのは、こんなもんじゃなかったんですかい」と大声で言いながら、蕎麦屋は、自分の顔をつるりと撫でた。――と、その顔は、まるで玉子のようにのっぺらぼうになった。……そして、そのとたんに、ふっと明りも消えた。

丸一年で500枚「書き写し」

よく知られたのっぺらぼうの物語ですが、この話の怖さを私なりに分析すると、ひとつは奇妙な話としての理不尽さ。それまで子供の私が触れていた童話やおとぎ話のほとんどは、勧善懲悪だったり、きちんと物語としてのまとめ、理由づけがされていました。けれどもこの話は、悪人でもない一人の商人がひどい目に合うし、何の解答も示されないまま放り投げられています。

さらに繰り返しが絶妙な効果を上げている。一回のみならず、不意を突くもう一度のダメ押し。それを強調するために、繰り返される同じセリフと簡潔な描写の妙。

もちろん、目も鼻も口もない顔という異様さも、子供の想像を越える斬新さでしたが。

ともあれ、ストーリーや設定に凝ることも小説を書く上では大切なことですが、それを活かすには、文章による巧みな描写が決め手。この連載でも繰り返し述べてきましたが、つまるところ小説は「文章による描写」です。さて、最優秀作。

あなたは、だれ？

水野祐三子

「教室、間違えてませんか？」

始業のチャイムと同時にゼミ室に飛び込んだら、普段から親しい真奈美が私に、言った。

「は？　真奈美ってば。私、りか子だよ」

「なんで私の名前知っているのか、分からないけど」

真奈美が、他の学生たちと首を傾

げている。

「冗談言わないでよ、真奈美。嫌だなぁ、もう」

苦笑いしていたら、入ってきた後藤教授が私を見るなり、言った。

「うちのゼミじゃないだろう？　君は。出て行きなさい」

「どっきりだったら、後でタダじゃおかないから」

真奈美に呟いて、私はゼミ室を出た。十数人のゼミ生が怪訝そうな顔で、私を見送った。

首を傾げたいのはこっちだ。サークル棟に向かうと、達也が部室から出てきたところだった。友人たちと談笑している。私は駆け寄った。

「達也！」

いつものように体にすがりつくと、達也は驚いて、私を振り払った。達也の友人たちが、「なんだ、どうした」と騒ぎ立てる。

「知らねぇよ。この女が急に」

「達也……。りか子、だよ」

達也は、気持ち悪いものでも見るような目を私に残し、小走りで立ち去った。

大学構内を、学生たちが行き交っている。あれは、昨日学食で100円を貸した大迫君。歩み寄ると、大迫君は私と目が合ったのに、すぐに視線を逸らして歩いて行ってしまった。街で、ただの他人とすれ違った時のように。

私は立ち尽くした。知っている顔がたくさんいるのに、私に声を掛ける人はいない。

誰ひとり、知らない気がしてくる。なぜ今まで、知っていると思えていたのだろう。当然のように。

私は携帯電話を取り出して、自宅に電話した。一つ、確かなもの。呼び出し音が、自分の心臓の鼓動のように響く。

「もしもし、お母さん、私」

「……私って、りか子？」

「そう、りか子！　お母さん、あのね、なんだか大学が変なの」

「詐欺はやめてください」

「え？　りか子よ、私、りか子」

「騙そうったって、無駄ですよ。りか子は、今、私の隣にいますから」

真っ青な空が、ぐんぐんと私から遠ざかってゆく。大地がゆらめいて、全身から力が抜けた。電話の向こうで、女性が言った。

「あなた、いったいだれですか？」

この作品も「むじな」と似た要素があ

るのがお分かりでしょうか？　答え（オチ）が明確に示されているわけでもなく、逆にそれが主人公の私だけでなく、読者も宙ぶらりんにさせていて効果的です。

ただし新しさには若干欠けるのと、描写としてはまだ弱い。友人の真奈美の態度を不審に思う私の心情なりを描くべきだし、途中も大迫君の部分などはいらないので、もっと、じわじわと不安が募る過程を描いた上で、ダメ出しとしてのお母さんのセリフで締めたい。

ところで小説を書くための文章力、表現力を身につける最短最良の方法があります。「書き写し」です。好きな作家の作品、古典、名作などを片っ端から読み、「うまいなあ」と感じた文章を、パソコンで構いませんので句読点まで正確に抜き書きする。

ノンフィクション作家の吉岡忍さんもこの文章訓練法を提唱されていました。「丸一年かけて、原稿用紙５００枚分書き写せば、その人は確実に通用する文章力を身につけられます」と。「ただし、実行に移す人はほぼ皆無ですが」とも。実は私は今でもこの書き写しを続けています。

あなたが本気で作家になりたいと思われるのでしたら、一年かけて実行してみませんか？

PART 3

実践編 2
エンタメを創造する13のレッスン

第4章 プロ仕様 創作のプロセス完全攻略講座

レッスン1 おもしろさとは？

おもしろさは個人差？

小説は大きく分けると「純文学」と「エンタメ系」があると述べました。またシナリオも例えば、映画をジャンル分けすると、芸術性の高い「文芸映画」と、娯楽性を追求した「娯楽映画」に便宜上分けられます。

さらにそうした分け方よりも、小説であろうとシナリオであろうと、「おもしろい」作品と「おもしろくない」作品のどちらかに分けられると述べました。

ですので「純文学」や「文芸映画」だから高尚で難解でなくてはいけないというものではなく、純文学とジャンル分けされる作品であっても、おもしろいものはおもしろいし、つまらないものはつまらない。

そこで「おもしろい」とは何か？という話になるわけですが、これも簡単ではありません。おもしろさについて、誰にでも分かるように定義づけができたり、点数化ができれば簡単なのですが、そうではないのでやっかいです。

大ヒットした映画とか、ベストセラー作品であっても、「つまらなかった」「どこがおもしろいのか分からない」という人は必ずいます。

至極当たり前のことですが、つまりおもしろさには個人差があって、私がおもしろいと思っても、誰もがそう思うわけではありません。とすると、おもしろさについて規定したところで、それが絶対の尺度にならないわけです。

と最初に言い訳じみたことを述べつつ、それで終わってしまうとこの本自体も成立しなくなってしまいますので、できるだけ定義づけていきたい。

顔が白いとおもしろい？

まず「おもしろい」の語源を調べてみると、諸説あるようで、しかし日本語として大昔から使われていたとか。

漢字では「面白い」ですが、「面」とは表、つまり目の前を意味し、「白」は明るくてはっきりすることを指しますので、目の前が明るくなるような心地にさせるという意味で、「楽しい」「心地よい」と同義になった。

あるいは、火を囲んで話していると、おもしろい話になれば聴衆が顔を上げ火に照らされて白さが増した、という俗説もあって、なるほどこれはこれで（映像的ですし）説得力があります。

他にも女性が化粧をし過ぎて顔が真っ白なのが笑えて、といった珍説もあるとかで、やっぱりおもしろさの尺度同様にあいまいなようです。

もうひとつ「エンターテインメント」の意味について。これは以前も拙著で述べたことがあります。

簡単におさらいしておくと、日本語に訳すと「娯楽」「もてなし」といった意味で、お客さんを楽しませるという意味合いで使われます。

それはその通りなのですが、故井上ひさしさんが述べていた語源によると、そもそもの意味は「間」だと。

間こそがエンターテインメント

エンターテインメント作品というと、どうしてもハリウッド映画のような、派手な見せ場がたくさんあったり、お客さんをひたすら楽しませるような作りの作品をイメージします。

実はそうではなく、井上さんの言葉をお借りすると、そうした見せ場は誰にでも書ける、そうではなく**見せ場と見せ場をつなぐ〝間〟**を書くことのほうが難しくて、それを上手に書く（展開させる）ことこそがエンターテインメントなのだ、と。

つまり「娯楽」「もてなす」あるいは「おもしろさ」とは、派手な見世物とかパフォーマンスを出せばいいということばかりでなく（それももちろん必要でしょうが）、そこに持って行くまでの前振りであったり、それをおもしろく見せるための〝間〟が重要で、それがうまくできて、ようやくエンターテインメントとして成立するわけです。

これをもう少し物語に特化し具体的にイメージしてみましょう。

おもしろいの語源のひとつ、火を囲んで聴衆相手に物語る。

「人殺しがあったんだよ」

という言葉から話し始めたとすると、聴衆は興味を引かれて顔を上げるでしょう。導入としてのインパクトとしてはバツグン。

　問題はそこから。それがどういう殺人だったのか。誰が誰をどういう理由で殺したのか？　どのような殺し方だったか？　それでどうなったのか？

　こうした物語の展開を語って聞かせるのに、話者のテクニックでいくらでも聴衆の顔を上げたままにできます。

　ですが例えば「隣の町のことで、泥棒がある家に忍び込んだら、家人と鉢合わせて、争いになってついに殺してしまった。泥棒は捕まってお裁きの結果、斬首されたそうだよ」で終わってしまったら、聴衆の顔は下を向いてしまうでしょう。

要約だけではおもしろくない

　まず、これではあくまでも話の概要（あらすじ）にすぎません。通常、物語のあらすじだけで、「おもしろい」と思わせるのは難しく、稀にあるとすると、もともとの話がバツグンにおもしろくて、要約の仕方がうまい場合でしょう。

　つまり、エンターテインメントの本質が「間」だというのは、派手な部分にもっていく過程がきちんとできていることが必要なわけです。

　ある人物がある人を殺してしまったのは、○○で○○だったためである。さらには、そこから○○になって、○○な展開になって○○で決着した。

　といった○○のところが大事。ここを示して「なるほど！」「えっ⁉　そうなるんだ」「で、どうなる？」といった感慨を読者に与えられるか？

　さらにおもしろさとは、読者（観客、視聴者など受け手）の心を摑む、すなわち**感情移入させる**。それもできるだけ**物語の主人公と同化させる**ことで、摑むことができます。

　それが物語の中に読者を引き込むことができたということです。そこから、「この物語はどうなる？」「この主人公はどこへ行く？」「結末は？」と、物語の方向性を気にさせることができるか？

　また、細かい○○のところで、「えっ、こんなの見た（読んだ）ことがない」「すごい」といったいわば場面としての作りに工夫があるか？

つまらない理由は無数？

　逆におもしろくないというのはどういう作品なのか？

・ありふれた話（設定、展開）だ。
・先（結末）が読める。
・人物に魅力がない。感情移入できない。
・何が何だか分からない。
・話が先に進まない。
・理屈っぽい。
・リアリティに欠ける（嘘っぽい）。

などなど、あげているとキリがありません。このおもしろくなくしてしまう要因にならない話となればいいのですが、もちろん簡単ではありません。

ともかくおもしろさとは何か？　がそれこそ概要ですが見えてきたようですので、もうちょっと具体的に、おもしろくする手法を探っていきましょう。

まずはおもしろいストーリーとは？　について考察する前に、小説には物語の〝流れ〟を示す「ストーリー」と、さらにそうなるための〝運び〟をどう組み立てるかという「プロット」があります。

創作の現場でよく使われるこの「ストーリー」と「プロット」ですが、この違いは何でしょう？　意外ときちんと説明できる人はいないように思います。

第4章 プロ仕様 創作のプロセス完全攻略講座

レッスン2 ストーリーとプロットの違い

動機があれば「プロット」になる

さて「ストーリー」です。

ストーリーは「物語」と訳されたりしますので、ストーリーがおもしろければ、すなわちおもしろい話ということになります。

そうはいっても「ストーリー」の定義となると難しいし、もうひとつ小説を書く際によく使われる「プロット」というのがあります。

「ストーリー」と「プロット」はどこが違うのか？ 便利なネットで検索すると、的確な説明がヒットしましたので、そのまま引用させていただきます。『知恵蔵』2015年版が出典です。

《ストーリーは、英語のhistoryの語源であるラテン語のhistoriaに由来し、作者によって読者に提示される物語の流れ全体を指す。一方、しばしば「筋」と訳されるプロットとは、物語中の主要な出来事及びその配列のことで、アリストテレスが『詩学』でミュトス（mythos）と呼んだものに等しい。E.M.フォスター『小説の諸相』（1927年）の定義を援用すれば、ストーリーが時間順に配置された出来事であるのに対して、プロットは作者によって因果関係に基づき再配置された出来事、ということになる。推理小説であれば、まず誰が殺されて、容疑者は誰で、次に2番目の殺人があって、と連続していくのがストーリー、探偵による謎解き、種明かしの部分はプロットということになる。読者は常にストーリーの流れをたどりつつ、作者の仕組んだプロットを読み取ろうとしている。》
（井上健 東京大学大学院総合文化研究科教授／2007年）

違いが分かりますか？

この引用の具体的な例である「推理小説であれば」の以降、「誰が殺されて、容疑者は誰で、……」というように、起こる出来事を時系列ごとに追うのが「ストーリー」で、その謎解きとか動機の解明といったところまで踏み込むと「プロット」になる。

"悲しみのあまりに"……

もうひとつ引用しますが、大岡昇平著『現代小説作法』（ちくま学芸文庫）にも、ストーリーとプロットについて述べられています。"現代"とありますが、書かれたのが1962年ということですので半世紀前です。近年文庫として復刻されています。大岡先生による小説創作論ですが、今読んでも古びていません。

さて、その第六章「プロットについて」にこう書かれています。

《ストオリーは時間の順序に従って、興味ある事件を物語るけれど、プロットは物語る順序を、予め「仕組む」ことを意味します。重大な事件は物語の始まる前に起こっていて、あるいは最後の章で判明する場合もあります。出来事のすべてを物語るわけではなく、結末に予定されている事件に、関連のあるものだけを書く。最後の章に到って、それらの「伏線」が一つの結末に向かって統一されているのを知って、読者は一種の満足感を味わいます。

「王が死に、それから王妃が死んだ」と書けばストオリーだが、「王が死に、悲しみのあまり王妃が死んだ」あるいは「王妃が死んだ。そのわけは誰も知らなかったが、王の崩御を悲しんだためであることがわかった」と書けばプロットだ、と「印度への道」の作者フォスターが書いています（「小説の様相」田中西二郎訳　新潮文庫）》

フォスターの定義がここでも引かれています。

どこまでプロットを作るべきか？

ところで、作家が物語を作る、小説を書く（脚本家がシナリオを書く場合も同様）前に、どこまでプロットなり全体の構成を作っておくか？

これは作家によって違うとしか言いようがなく、その書き手が経験を重ねながら、ベター、ベストの創作手順を見つけていくしかありません。

ただ、シナリオ創作の手法としては、ある程度の長さのシナリオを書こうとする場合には、「初心者はハコ書き（プロット）を作った上で、そこで全体像を把握しつつ推敲を重ねてから書き始めるべきだ」と述べました。

シナリオは時間（枚数）制限があり、

その中で物語を収めなくてはいけないために、ある程度の構成を立てる必要性があるからです。

小説は作者自身の構想が頭の中でなされているケースが多いために、綿密なプロットを練った上で書き始める傾向が少ないわけです。

さて、この点について大岡昇平先生の『現代小説作法』の「プロットについて」の孫引きになりますが、川端康成の文章の前のところから引用します。

《小説家が小説に取りかかる前に、プロットを考えておくほうがいいといわれるようになったのは、読者がそういう実感尊重や写実的短編に飽き、筋のある長編小説を求めるようになった昭和中期以後です。しかし実際は作家がこの問題をどんな風に処理していたかは、次の川端康成の証言にあらわれています。

「実際創作に当たってゐる人の体験を聞くと、日本の作家にはあまり筋（プロット）を考へず、書き出しに色々と苦心をし、あとはその場その場で最も妥当と思われる方向に小説を運んでゆくといふ人がかなりゐるやうである。また最初から作品の筋を全部考へておいて、それに従って整然と書き進めるといふ方法による作家もある。これは両方ともプロットが有るのであって、前者はとかくプロットがないといふやうに考へられがちであるけど、これは間違ひである。主題がはっきりときまって作者の肚が出来上がってゐれば、プロットは自らきまってゆくことが多い」（「小説の研究」角川文庫）》

推理小説はプロットありき

川端康成も、書き出しだけ考えて後は筆にまかせてというタイプ（名付けると「見切り発車」型）と、プロットを立ててから書くタイプの二つがいるけれど、実は両方とも大差はなく、それよりも大切なのは主題（テーマ）がはっきりとしていて、作者が「書くぞ」という決意があれば、プロットは出来てくると述べています。

もう少しだけこの大岡昇平の本の意見をご紹介すると、

《ここに一つ、どうしてもプロットをきめておかないと、始められない種類の小説があります。推理小説です。》

と述べています。

この後、大岡先生による（当時の）推理小説の現状と作りなどが分析され、「謎解き」を展開するジャンルであるがゆえに、綿密なプロットを前もって作る必要性が強調されています。

半世紀前ですと、文学、文壇の世界では、推理小説はそれこそ娯楽性の高い大衆小説の一ジャンルといった見られ方をしていました。

そうした是非はともかくとして、推理

小説は読者に謎とそれにまつわる手がかりなどを物語の進行と共に（できるだけフェアなカタチで）提示していき、終盤にその解答（結末、オチ）を明らかにして、読者を感動させる。

そのためには作者による綿密な計算、プロットが必要になるわけです。

あなたはどのタイプか？

構想の段階でどこまでプロットを詰めるべきか？　人によって違うし決まりはないと述べましたが、まず自分がどのタイプかを認識しましょう。分かりやすく**3つのタイプに分類**してみます。

［図1］

Aタイプ

綿密なプロットを組み立て、クライマックスや結末まで、ある程度決めてから本文を書き始める作家。

Bタイプ

とっかかりのアイデアや設定が浮かび、おおよその着地点がぼんやりと見えている（頭の中にある）段階で書き始める作家。

Cタイプ

導入部だけ、アイデアのとっかかりだけを見つけ、結末もまったく見えないが、ともかく書き始めて最後にまとまるという見切り発車型の作家。

述べたようにシナリオの場合は、映像のための設計図的な役割が強いために、「構成」の重要性が増します。したがって、Aタイプの作家の占める割合が多い。ですがベテランの脚本家になるにつれ、BやCのタイプも増えてきます。

小説の場合、一番多いのはBタイプではないかと思います。ただ、物語を作る自分なりの法則、ノウハウ、パターンを確立しているベテランとなると、Cタイプへと移行してきます。

ジャンルによっても違ってきます。私小説や純文学系、恋愛小説やヒューマンドラマ系など、小説世界の雰囲気や感覚を重要視する小説では、綿密なプロットは必要とされず、書きながら方向性を決めていくCタイプの割合が増えるでしょう。

けれども前述したように、推理小説、ミステリーなど、事件が起きて謎を解き明かしていく、といったジャンルでは、ある程度のプロットの組み立てが必要になります。トリックや伏線、展開のさせ方が、（よっぽどの天才は別にして）思いつきではまず通用しません。

初心者は「見切り発車」は危険

ともあれ、この本で追求するエンタメ

系小説の場合は、Cタイプはなかなか通用しないと思うべきです。特にアマチュアは、ある程度のプロットを考えた上で書くべきでしょう。

どこまで立てるか、立てる上でどこがポイントになるか?などは今後述べていきます。

もちろん、フィクションは生き物でもあります（生き物でなくては、成功しない）。書いている過程で必ず変わっていきます。その段階でまた方向性を探っていきます。

作家の多く（特にすでにプロとして認められている人）は、Aタイプの書き方を是としない人が多くなりますが、これは固めすぎることで拡がりが失われる危険性を知っているからです。

ともかく、自分が見切り発車でもゴールまでたどり着ける、しかもおもしろい小説にできると思う方はCタイプでも構いません。

ちなみに、イギリスの大作家ディケンズは、このタイプで、何でもいいから書き始めれば壮大な物語にできたといわれています。自分がディケンズ並の天才だと自信のある方は、この本は必要ありません。

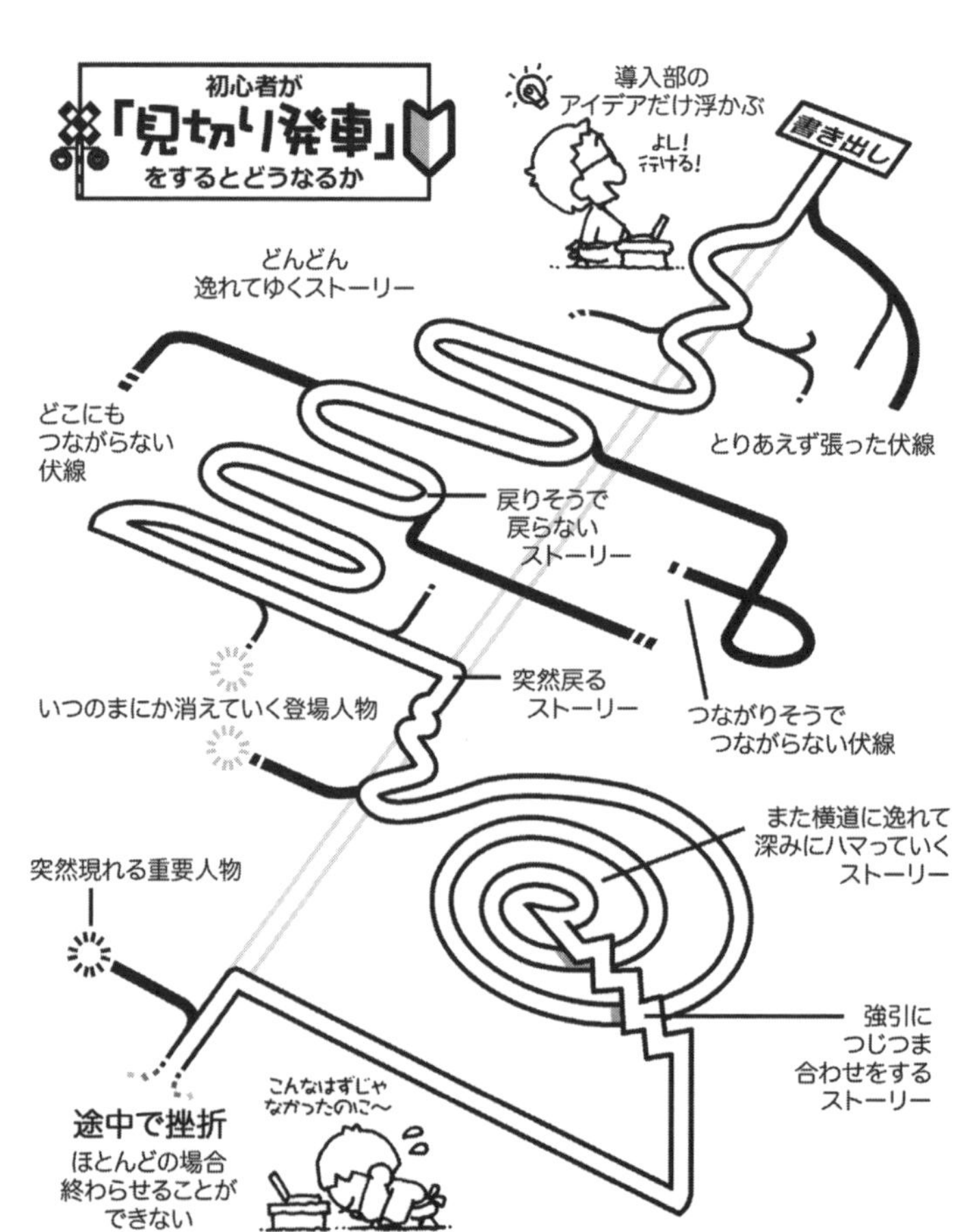

レッスン3　ネタからアイデアにするプロセス

アイデアは手がかりから生まれる

さて「ストーリー」ですが、その前にアイデアについてもう一度簡単に述べておきます。これも掘り下げていくと、キリがありませんので、ストーリーを生み出していく過程と合わせてのアプローチです。

　小説家や脚本家は、何かを手がかりにして、そこから「こういう話を書こう」とひらめきます。手がかりというのは、作者自身が持っていたり、日常の中であったり、研究対象から見つけた題材、テーマなどです。

　脚本の場合は、多くの場合プロデューサーや監督、制作会社などから、企画を持ちこまれる、例えば、「学園物のミステリーでアイデア出して下さい」というような依頼をされることが増えてきます。小説家の場合でも稀に、編集者や出版プロデューサーのような人から提案されて作品化することもあります。

　ともあれ、おおよそのネタからアイデアを生み出して、ストーリー（プロット）化していくまでの流れを図にすると、こうなります（**図2**）。

⇅が相互についているのは、これらはひとつの決まった流れでなく、常に行ったり来たりするという意味です。

　どの項目を重要視するかは、作品の傾向や作者の志向、作風で違ってきます。

　簡単に説明をすると、「ネタ」と「アイデア」を別にしていますが、この境目ははっきりしていません。

　ともあれ、「ネタ」は素材で、そこから「アイデア」が生まれます。分かりやすくイメージするには、料理にたとえるといいでしょう。それも料理構成が決まっている定食ではなく創作料理です。

　作家は板前（シェフ）です。市場でネ

タを仕入れてきます。この時、あらかじめ書いたレシピがあってネタを探す場合もありますが、逆にネタをあれこれと見て、そこから「こういう料理にしよう」と思いつくこともあるでしょう。つまりそれが↑です。

料理も出す店によって和食か洋食かといったジャンルがありますし、お客さんを想定した上で予算によって内容も左右されます。そうした条件から板前は、お客さんを楽しませるための最高の料理を考えるわけです。

で、このネタもすぐにアイデアとなる上ネタもあれば、使わずにしまい込まれてしまう埋没ネタもあります。

それはともかくとして、優れた作家、創作が続いている作家は、上ネタか埋没ネタかとかは関係なく、常に新しいネタを仕入れています。それができるか否かが、生き残る作家の条件になります。

発想はストーリーで行なわれる

で、**仕入れたネタをアイデアにステップアップするために**、まず前提となる**「条件」**があります。枚数であったり、テーマであったり、ジャンルです。

テーマに関しては、言及しはじめるとまた難しくなりますが、要は書き手がその作品で「描きたいこと、読者に伝えたいこと」です。作品にテーマは不可欠ですが、あまりこれを重要視しすぎると、重たいばかりの独りよがり作品になる恐れもあるので要注意です。

テーマも最初から作者がずっと秘めていて、それを作品に活かすという場合であったり、逆にネタを見つけたことから、テーマを据えるということもあるでしょう。

ともあれ、見つけたネタからアイデアが生まれるわけですが、作家のアイデアはほぼ間違いなく「ストーリー」で発想されます。もちろん最初は、綿密なストーリーはできておらず、「何かできそうだ」とか、おおまかに「こういう話」というもやもやしたイメージでしょう。

例えば、バスに乗っていて途中で違う路線に乗ってしまったと気づいたとします。目的地とは反対方面行き。次のバス停で降りて……と考えていたら、横の席に美女が座った。どうせならしばらく乗っていようかと思う……。

そこから、**「間違って乗ったバスで運命の出会いをする男女」**というアイデアが生まれる。

これだけではあまりにも漠然としていて、小説（脚本）になるかは曖昧模糊ですね。この段階は、いわば**「アイデアの尻尾」**が目の前にプラプラしている段階でしょう。その尻尾を掴んで手繰り寄せて、だんだんアイデアの輪郭をはっきりさせていきます。つまりストーリー化していく。

ジャンル替え発想法とアイデアの変化

その前に、アイデアを明確なカタチとするための「条件」を確認することが必要になります。それによって方向性がまるで違って来るからです。

まず**どのくらいの枚数**の話にするか？

バスでの出会いから半世紀に及ぶ壮大な物語とするなら、明らかに長編になるでしょう。とすると、この材料だけでは足りませんので、もっともっと要素やエピソードをプラスすることが必要になります。

[図2]

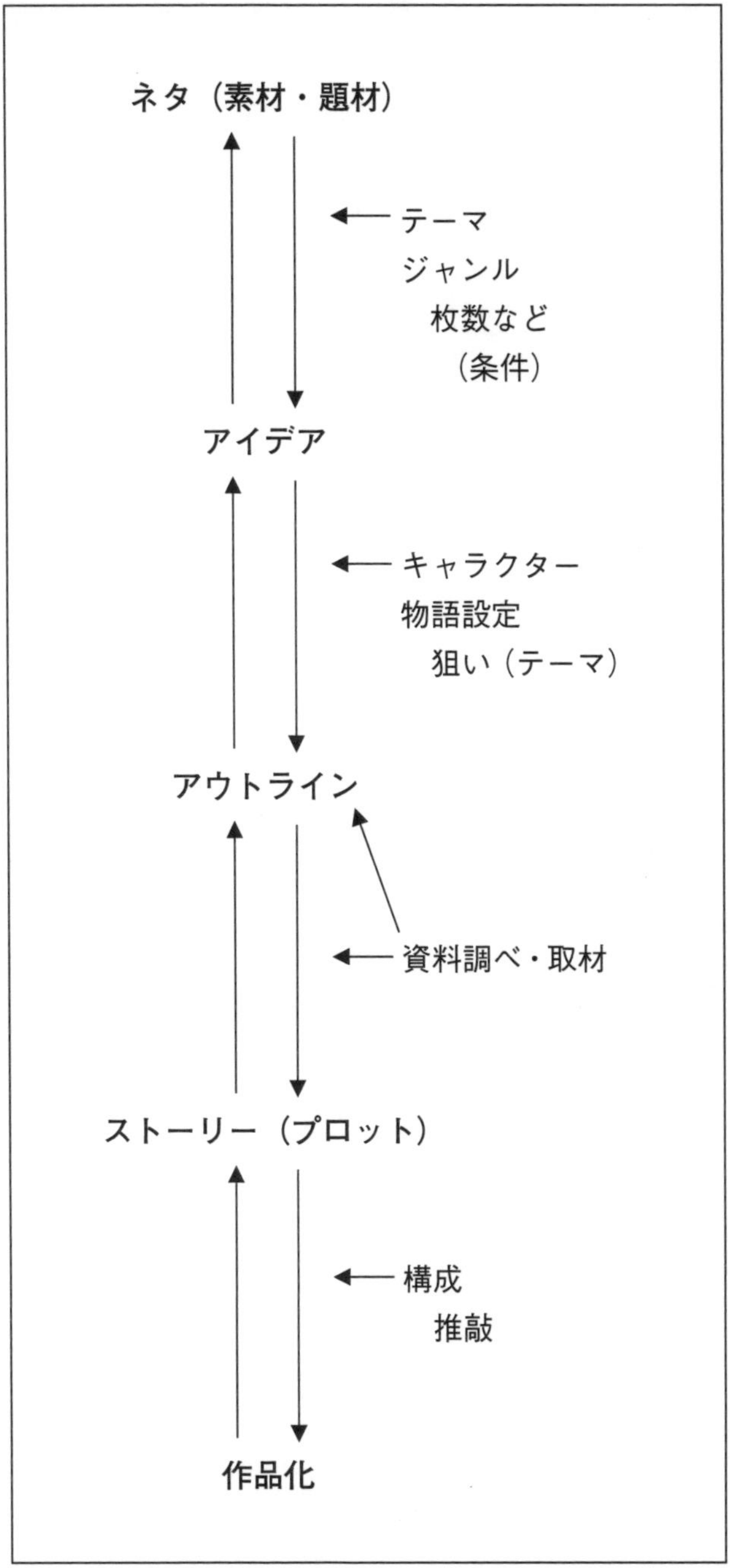

ネタ（素材・題材）
↓ ← テーマ
ジャンル
枚数など
（条件）
アイデア
↓ ← キャラクター
物語設定
狙い（テーマ）
アウトライン
↓ ← 資料調べ・取材
ストーリー（プロット）
↓ ← 構成
推敲
作品化

そうではなく30～50枚程度の短編ならば、主人公の男と出会った女との、二人による数日、あるいはひと夏の物語として描けるかな、というように。

さらに**どういうジャンル**で描くのか？

これも重要です。その書き手の得意分野、そもそもの資質であらかた決まります。ただ私は初心者の方には、「**ジャンル替え発想法**」を提唱しています。

「バスで運命的な出会いをした男女の話」ならば、通常の発想ならば、恋愛物でしょうか。そう決め付けてしまうのではなく、例えばミステリーとすると、どのような物語ができるだろうか？　あるいはアクションならどうでしょう？

ええっ、アクション？

と思うかもしれません。そういう発想ができるかが「ジャンル替え発想法」なのです。

主人公の男は（**キャラクターの第一歩はまず名前と年齢**なので、満木恭介28歳、製薬会社の研究員とします）、その日、自社の運命を変えるくらいの重要なデータの入ったメモリーを持っていた。隣に座った女（姓は明らかでなく夏緒26歳とする）はそれを盗もうと近づいて来たのだ。そのことを知らない恭介は、夏緒の巧みな接近に乗ってしまって……。

このプロット（ここまで出来るとストーリーの段階から**プロットにステップアップ**します）だと、まずはミステリーとしての設定でしょうか。

そこからもうひとつ要素をプラスして、某国の産業スパイチームが、強引にメモリーを奪い、恭介を殺そうとバスジャックする。夏緒ははからずも恭介と協力して産業スパイと戦うようになり……。

アクションになりました。

ついでに、ジャンルの違いを述べておくと、先ほど述べた、隣の女が実は思惑を秘めていて近づいてきて、というと広義の**ミステリー**です。

同じバスにナイフを持ったサイコキラーが乗り合わせていて、となると**サスペンス**になります。

ホラーにする手もありますね。間違って乗ったバスの行き先は特別な場所で、乗り合わせた客たちは全員死者で……（ただしこの設定は、かなり使い古されたダメアイデアになる可能性大です）。

ジャンルは単体ではなく、またぐ場合もあります。意図的に秘密を奪おうと、恭介に近づいてきた夏緒との間に恋愛感情が生まれるという展開になると、**ラブミステリー**もしくは、**ラブサスペンス**になるわけです。

最初からミステリーで、と決めた上でこの間違って乗ったバスのアイデアを発展させることもあります。

ともあれ、ひとつのアイデアの尻尾でも、枚数であったりジャンルで設定、方向性が具体的に見えてくるはず。

ちなみに、映画やドラマなどの場合、

この条件はさらに多岐にわたってきます。枠や公開方法、予算、ターゲット、キャストやスタッフ、スケジュール、プロデューサー、スポンサーの意向、注文などなど。

「ありがち」にプラスアルファの何かを加える

もう一度121頁の図に戻ると、ネタがあってジャンルや枚数、作品の核となるテーマがはっきりすると、アイデアの輪郭がはっきりとしてきます。

　ここでより具体的にするために、まず主人公など**重要人物のキャラクターを造型**します。

　これについては［レッスン5］で。

　さらには**物語設定、すなわちシチュエーション**を決めます。アイデアの段階でほぼ決まっているものですが、これも次のレッスンで述べます。

　こうした肉付けでおおよその物語のカタチが見えてきます。この段階は細かいところが出来ていないはずで、私は「**アウトライン**」だと思います。

　でもこの段階ではあまりガッチリと固めてしまうのではなく、ああでもないこうでもないと錯綜していい。試行錯誤する段階で、いろいろな方向性を探ってみる。ここでさらなるアイデアが浮かぶことが往々にしてあります。

　取材や資料調べというのも、関連することをあれこれと掘り起こしていると、思わぬ発見をして、そもそもの設定が大きく変わったりします。

　よくアイデアが浮かぶ瞬間を、「天使が舞い降りる」と言ったりしますが、実はこういう段階でプラスアルファの何かを見つけたり、頭の中でもやもやしたアイデア段階があることで、ふいに突破口が見つかる瞬間だったりするのです。

　ともあれ、これがアイデア優劣の境目だったりします。というのは、実は最初の発想、「これでできそう」と思った段階は、ありきたりだったり、誰もが思いつくレベルのことが多い。バスで男女が知り合う、だけだととても画期的なアイデアとはいえませんから。実はほぼ9割はこれなのです。

　ですが、この**ありがちにもうひとつプラスアルファの何かが加わることで、オリジナリティ溢れるアイデアに変化**します。本当です。

　ともあれ、こうした段階を経て、全体のストーリーがくっきりとしてきて、細かい場面やエピソードを作っていくことで、プロットへと進むのです。

第4章　プロ仕様　創作のプロセス完全攻略講座

レッスン4　ストーリーの型からベースを作る

設定が決まれば大枠が見える ――「旅もの」

「アウトライン」から「ストーリー」を詰めていくわけですが、この時に**物語としてのベースとなるシチュエーション（設定）を踏まえておく**と、とても簡単に全体像が見えてきます。

　設定を作る、設定からアイデアを固めていく方法として、物語の基本としてのカタチを理解していくのです。

　物語のカタチはむろん、千差万別ですし、決まっているわけではありません。決まっていたら誰もが112頁であげたつまらないパターンのひとつ、「先が読める」になってしまいます。ですので、それに当てはめてしまうという意味ではなく、まずはベースとなる物語のカタチを理解した上で、そこからさらに発展させるためです。

　物語の基本としてのカタチは、**大きく分けると二つ**しかありません（あくまでも私の分類、考え方です）。全部ではありませんが、多くの物語はこのどちらか、もしくはそのバリエーション、および両者の融合型に分類できるはずです。

1　旅もの

2　空間限定もの

　このどちらかです。

　まず1の「**旅もの**」は、主人公が旅人で、どこかに向かって旅をし続けて、その途中で誰かと出会い、いろいろな事件が起きて……。

　これは典型的な旅もの、いわゆるロードムービーです。

　こうした旅に限らず、**主人公が何らかの目的もしくは目標を目指して進む過程**を旅だと思って下さい。

　例とした「間違って乗ったバスで運命的な出会いをして」という設定ならば、

まさにバスに乗るという出発点から、主人公の恭介がすぐに美女の夏緒と出会って、一緒に終点を目指す。途中でバスを降りて、別の手段で目的地を目指すにしても、起点としてのバス、出会い、事件、トラブル、クライマックス、目的地到達まで。この過程を小さな旅と考えることもできます。

恭介はどこを目指すのか？　夏緒とねんごろになるのか、あるいは会社に辿り着くのか？　そうしたディテールを詰めていくことで、次第にプロットが具体的になっていきます。

ラブミステリーだとするならば、大切な機密の入ったメモリーを守りつつ、夏緒との恋が何らかの決着を見せる。というのが目的、目標、最終ポイントになります。

途中でどういう事件であったり、トラブルが起きる、あるいは夏緒とどういうやりとりをするのか？　といったことは追々考えるにしろ、ともかくアウトラインとしてのカタチが見えてきました。

この「旅もの」のカタチを図にすると、こうなります（図3　127頁）。

- **主人公はどういう旅をするのか？（設定）**
- **なぜ旅をすることになったか？（動機）**
- **どこへ行こうとするのか？（目的）**

これをとっかかりとして作ります。

基本形は、旅が始まるところから物語がスタートし、旅の途中で事件や人との出会いがあり、それをクリアして先に進み、何らかのカタチで旅が終わるまで。目的地に到達してもいいし、できなくてもいい。

『**ロード・オブ・ザ・リング**』は壮大な物語ですが、全体を通すホビット族の旅があり、その旅の周辺でいろいろな出来事、戦いがある。その積み重ねで展開していきます。

空間、場所を固めてしまう

もうひとつの基本型、「**空間限定型**」について。

「旅もの」と対照的に、物語が展開する空間、場所を最初に固めてしまう。

『ロード・オブ・ザ・リング』は、典型的な旅ものですが、『**ハリー・ポッター**』シリーズの各話の舞台となる空間は、ホグワーツ魔法魔術学校です。ベースとなる基本型は、ここに主人公のハリーがやってきて、さまざまな事件が起きて、ハリーが仲間たちと力を合わせて解決して終わる。

『**ローマの休日**』は、表敬訪問にきた某国の王女アンが、大使館を抜け出して、ローマの街で冒険をして恋をして去って行くまで。ローマの街、空間が物語の枠として設定されています。

拙著『ドラマ別冊・エンタテイメントの書き方3』で、この『ローマの休日』と、アニメ映画の『**千と千尋の物語**』（こちらの限定された空間は、千尋が迷い込む〝八百万の神が湯治に来る温泉街と宿屋〟）とが、**同じ構造の物語**であることを、構成表（ハコ書き）と共に検証しています。よかったら参考にして下さい。

この「空間限定型」は**図4**のように、主人公の配置からどちらかになります。多いのはAの「**ストレンジャー型**」で、例えば、黒澤明監督の『**用心棒**』は、主人公の浪人がある宿場にやってきて、そこでのトラブルを解決して去っていくまで。

Bの「**防御型**」は黒澤明監督作なら『**七人の侍**』は、村に立て籠もった侍たちが、攻めてくる野武士たちから守ろうとする物語です。

ただし、ここで分類しているのは、あくまでもベースとなる型です。両方の要素を巧みにミックスさせているケースもあります。

『ローマの休日』ならば、主人公であるアン王女が、身分を隠してほぼ丸一日の間（これは時間限定型でもあります）ローマのあちこちをブラッドリー記者と共に「旅をする」という両者の融合とも言えます。

また『七人の侍』は、舞台となる戦国の某村の「空間限定」ですが、導入としては志村喬扮する侍らがやってくるストレンジャー型で、そこからBの防御型になっています。

例とした「間違って乗ったバスで運命的な出会いをした男女」の物語は、バスでの旅（途中で降りて目的地を目指すとしても）から始まる「旅もの」が基本型です。ただ、これが途中からバスジャックされたりして、そのままバスの旅が続き、最後に目的地に到達して、バスを降りて終わるという話だとすると、これはある意味、動くバスで展開する「空間限定型」と見なすこともできるわけです。

この「旅もの」＋「空間限定」は、過去の名作では『**駅馬車**』がその構造を備えています。あるいはSFホラーの傑作『**エイリアン**』も、宇宙空間を旅する宇宙貨物船というのが「空間限定」にもなっています。しかも主人公のシガニー・ウィーバー扮する女宇宙飛行士リプリーが、侵入者であるエイリアンと戦う物語ですから、Bの防御型になります。

ついでに述べると、続編の『**エイリアン2**』は、リプリーが一個小隊を率いて、エイリアンに侵略された惑星の基地を攻めて、そこで戦って少女を救って出て行くまでですから、まさに空間限定のストレンジャー型になっています。

ともあれ、ベースとしての設定をまず踏まえることで、アウトラインとしてのストーリーが見えてくるはず。

[図3]

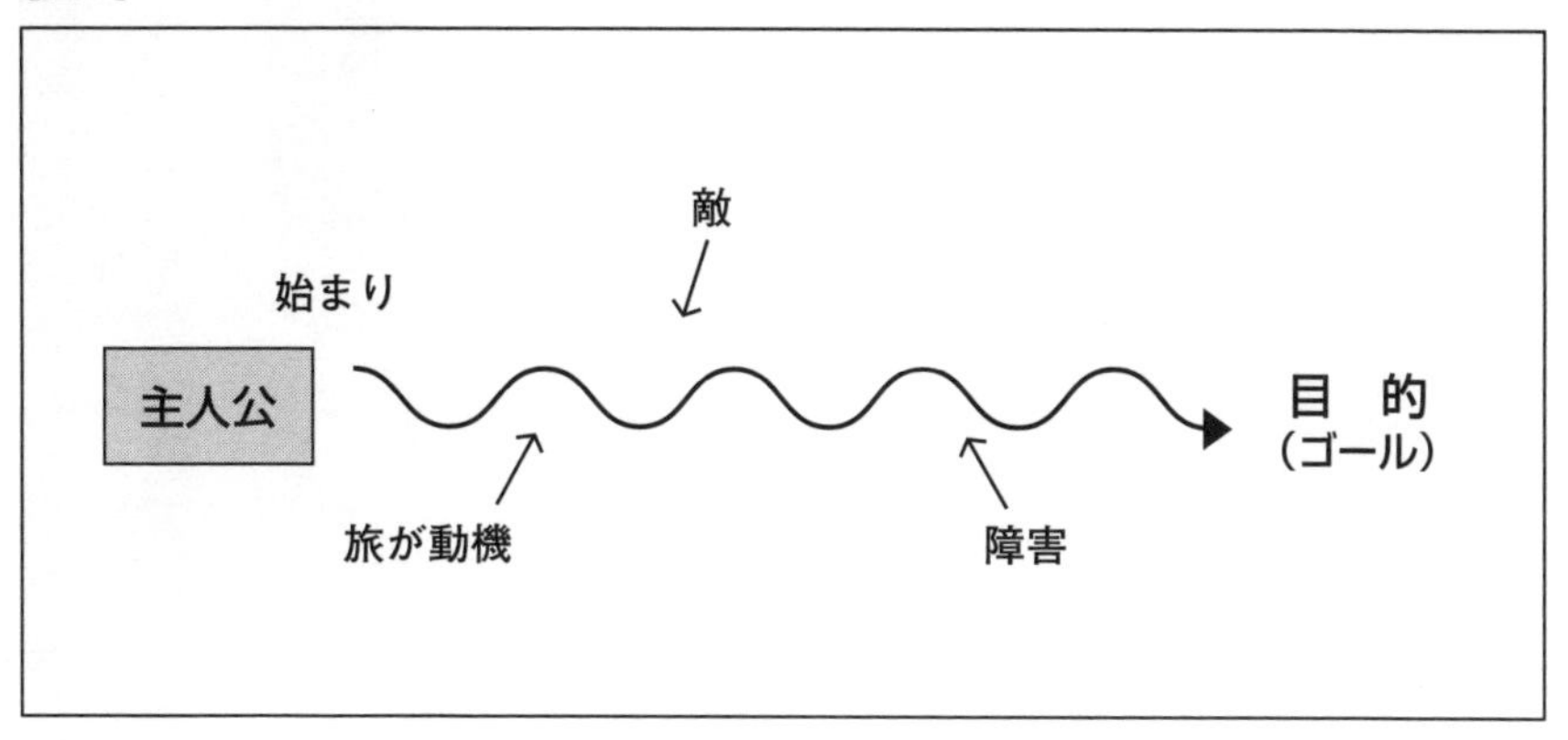

主人公はどういう旅をするのか？（設定）
なぜ旅をすることになり、　　　（動機）
どこへ行こうとするのか？　　　（目的）

[図4]

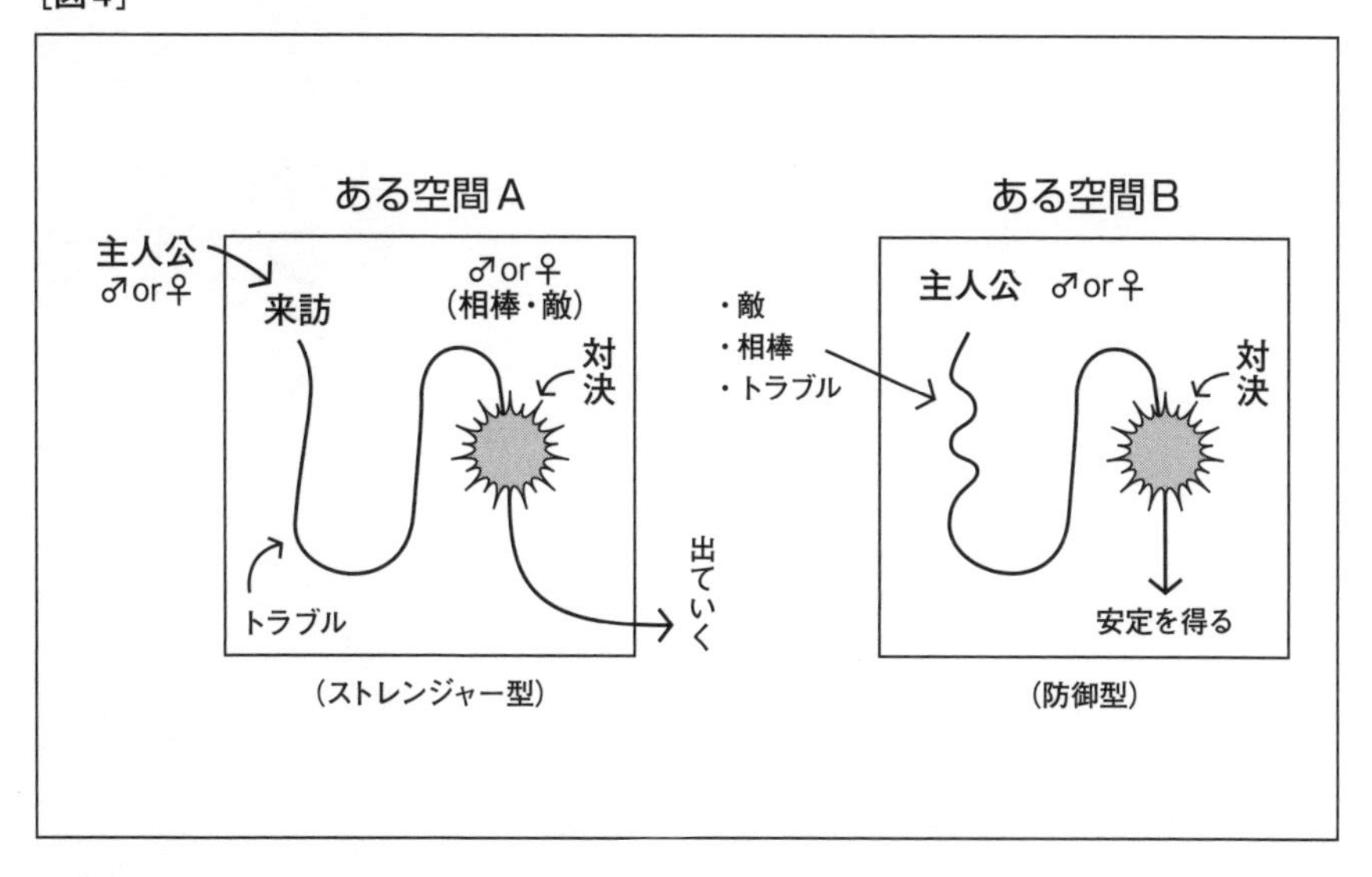

第4章 プロ仕様 創作のプロセス完全攻略講座

レッスン5 キャラクター造型のポイント

主人公ありきで物語ができる

第2章で脚本を書く際に、「キャラクター」造型が決め手になると述べました。

どのような手順でこれを行なっていくか？ 造型のための基本や考え方については、前著『「超短編シナリオ」を書いて小説とシナリオをものにする本』で詳しく述べました。ここに書かれているエッセンスを述べておきます。

まずシナリオ創作においては、人物の重要度に応じて、

ⓐラウンドキャラクター（球形人物）
ⓑセミラウンドキャラクター（反円形人物）
ⓒフラットキャラクター（扁平人物）

と配分します。主人公は物語全編を通す重要な人物ですので、どこから見ても「こういう人物」と分かる、と言えるくらいという意味のⓐラウンドキャラクターとして造型します。主人公に準ずる副主人公も同様です。

『**ローマの休日**』の主人公アン王女は当然ラウンドキャラクターです。アンが王女であることを知って特ダネをものにするために近づくブラッドリー記者も、ほぼ同等にラウンドキャラクターです。その証拠に、この映画は、アン王女の公務の描写から大使館を抜け出して、というところまではアン目線ですが、仲間とポーカーをしていて、酔っぱらい女（実は睡眠薬）を保護して、というところからブラッドリー視点で物語が展開し、ローマの一日をデートするところから二人の行動で進みます。

で、ブラッドリーの同僚で、アンの姿をフォーカスするカメラマンのアーヴィングは、重要な脇役であるⓑのセミラウンドキャラクターになります。ある程度はきちんと作って見せていくのですが、

全部までは描かない。

一、二度しか登場しなくて主人公らとからむ人物たちはいわゆる端役ですが、これは(c)のフラットキャラクターになります。『ローマの休日』ならば、ブラッドリーの上司であったり、アンの髪を切る美容師、大使館でアンの世話をする人たちといった人物たちです。

こうした人物たちを掘り下げている暇はないし、そんな描き方をしていたら、主人公たちの存在がどんどん薄くなってしまいます。フラットキャラクターは、物語の進行をさせるために登場させますので、個性であったり職業性を強調する描き方になります。

『ローマの休日』という映画は、ラウンドキャラが二人、セミラウンドキャラが一人、フラットキャラが数名といった人物で描かれる物語なわけです。

性別と年齢でまずイメージ

シナリオでは映画や1時間ドラマだと主要人物はせいぜい数人にすべきです(いわゆる群像劇は別として)。

これが連ドラとかになると、主人公以外の主要人物が増えてきます。さまざまな人物たちが主人公とからむという展開をさせるため。

小説も同様です。短編は主要人物は数名に絞り込む、長編になるにつれラウンドとセミラウンドキャラを多く配するようになります。

アウトラインとしての大まかなストーリーができたとして、いきなり本文を書いたりしない。

まずは**主人公から順に、人物像をしっかり作って**いきます。作者が創造神になって造型するわけですが、そこで容姿が見えてきて、どういう生い立ちで性格なのか、といった人物像になるまで詰めていきます。

シナリオの場合は、人物表を提示して、主人公の名前と年齢、職業などを書きますので、読み手はある程度のイメージを作った上で本文に入ります。

前著でも例としましたが

北淵はるか（19）大学生
北淵はるか（65）茶道教師

では同じ名前でもまるで印象が違います。

小説の場合はこうした人物像は地の文で伝えなくてはいけません。初心者の小説を読んでいて、主人公(視点者)が「私は」と一人称で書かれていたり、「はるかは」と三人称で書かれている場合でも、読者にはイメージが伝わらないケースが多い。ひとまず「私」の年齢や性別を分からせるだけで、最低限のイメージが伝わるのですが。

ともあれ、キャラクター造型がまず大切ですが、どこまで造るかは作者次第です。作家によっては、物語を進行させていく過程で次第にはっきりしてくる、という方もいます。これは誇張であり、慣れの要素もあるので、初心者は鵜呑みにしないほうがいいでしょう。

あくまでもひとつのアプローチ法ですが、下のキャラクターシートのようなものを埋めていくと、人物像が見えてくるはずです。登場人物全員のシートを作る必要はありませんが、少なくとも主人公、副主人公、重要な脇役については作っておく。作ることでラウンドキャラクター、セミラウンドキャラクターとなっていくはず（**図5**）。

次頁はそのキャラクターシートを元に、人気ドラマ『**刑事コロンボ**』の主人公を当てはめてみたものです（**図6**）。

コロンボはドラマで描かれた要素を加えていったので後追いですが、ここまででなくても、具体的にできていれば、各シーンを書く際に、どのような行動をとるか、どういうセリフを言うか手がかりになります。

[図5] キャラクターシート ※次ページを参考につくってみましょう

名前
あだな
年齢
性別
職業
地位
●容姿
●身体的特徴
●性格・クセ
●嗜好、趣味、特技
●生い立ち、境遇
●動機、物語との関わり
●人物関係
●その他

［図6］キャラクターシート（例）

名前　（フランク？）・コロンボ
あだな
年齢　50～（？）
性別　男
職業　刑事
地位　ロサンジェルス市警察署・殺人課（警部補？）

●容姿
いつもよれよれのコートを着ている。

●身体的特徴
小柄でもじゃもじゃ頭、典型的なイタリア系のじゃがいもみたいな顔。

●性格・クセ
見てくれとは違う理性派、粘り強い。ユーモアはあるが容疑者からは煙たい存在。殺害現場に安葉巻をくわえたまま遅れて現われる。怖がりで射撃や死体は苦手。

●嗜好、趣味、特技
好物はチリコンカン、休日にかみさんのために料理をつくる。イタリアオペラ好き。捜査のために惜しみない勉強をする。

●生い立ち、境遇
イタリア系、朝鮮戦争に従軍したことがある。家族、特に妻をこよなく愛しているゆえに口癖は「うちのかみさん」。

●動機、物語との関わり
職業柄、殺人事件を捜査。地道で粘り強い捜査とわずかな証拠（犯人のミス）から追いつめていく。

●人物関係
毎回のライバルは、完全犯罪をもくろむさまざまな業界で活躍する容疑者（常にインテリ）。

愛妻や親族はセリフだけで登場しない。

●その他
愛車はボロボロのプジョー。ドックという名前のバセットハウンド犬を飼っている。

第4章　プロ仕様　創作のプロセス完全攻略講座

レッスン6　アウトラインのへそを決める

設定が決まれば大枠が見える

大枠としての設定（一番簡単なベースは「旅もの」か「空間限定」）が決まり、主人公を中心とした主要人物のキャラクターが造型できれば、その設定の中に人物を放り込めばいい。

こうしてストーリーが具体的に動き始めます。

人物を造型しておけば、**このキャラだったらこういう局面に置かれたら、どう行動するだろうか？　どういうセリフを吐くだろうか？**　という人物本位でストーリーが展開できるからです。

このストーリーの展開と、キャラクターとは、常にぶつかり合いつつ進まなくてはいけません。作者はたえず人物に対して、「あんた、どうする？」「そんなことする？」と疑問をぶつけ、対話をしながら行動させることで、ディテールが見えてくるはず。

作者は発想をストーリーで行なうと述べました。「これこれこういう話にしよう」と考えて、そこから細かい展開、エピソードなどを肉付けしていきます。

この時、ストーリー展開に人物を当てはめてしまうと作者に都合のいい物語になる恐れが出てきてしまいます。

とはいっても人物は作者が生み出した存在ですので、作者の意向が反映されるのは当然です。人物がストーリーに則した行動をとり、セリフをしゃべっていいのです。

ただ、例えば、キャラクターとして「小心者で人見知り、神経質」といった性格を与えられた主人公が、バスで横暴な客を注意するといった行動をとったら、ストーリー上必要な事件だとしても、作者の都合になってしまうという意味です。

そういうキャラだけど、やむにやまれぬ思いなり、そうなるまでの前提、過程があって、ついに勇気を振り絞って注意した、というならば受け入れられます。すると、そういう性格ゆえに行動できないという描き方を見せた上で、何らかの要素を積み重ねて、ついに性格を乗り越えて、という場面を作ることが必要になるわけです。

【転】と【結】をイメージする

さて、大枠としての**設定の中に人物を放り込む**ことで、そこにいる人たちとのぶつかりだったり、事件が起きてストーリーができてくる。

このストーリーからプロットへと練り込んでいく際に、いくつかの注意ポイントがあります。おもしろくするためのテクニック、手法もあるのですが、まず大枠、最初の段階で一番留意しなくてはいけないのは、物語の基本型である**【起承転結】**の**【転】**、そして物語の帰結となる**【結】**の部分のイメージです。

全体の構成を細かく詰めていくのは、次の段階ですが、この大まかなストーリーを固めていく段階では、おおよそでいいので（むしろあまりガチガチにしないで）**物語の帰着点をイメージする**。

これは前項で述べたテーマとも関わります。121頁の図のように、発想の段階で確認しておくべき項目の一つにテーマがありました。

これも述べたように、最初から「これを訴えるんだ！」とあまり全面に掲げすぎると、読者を拒絶する重たい話になる恐れがあるのですが、ともあれ、この話では「こういうことを描くのだ」という程度でいいので確認しておくべき。

で、シナリオの創作論では構成の**【転】の役割として、「テーマを訴える」**、さらに**【結】は「テーマを定着させる」役割**があるとされています。

逆にいうと、冒頭である**【起】**から、展開部の**【承】**では、その作品のテーマは読者や観客にははっきりと見えていなくてもいいのです（最初からテーマを全面に出す社会ドラマとかは別にして）。

ともあれ、構成における**【転】**の部分は、その物語が一番盛り上がるクライマックス局面を持ってくるべきですし、ここでようやくテーマを掲げる。さらにそれを経ての**【結】**で、物語が何らかの決着をみせて、「この作品はこういうことを描きたかったんだな」と読者に余韻と共に考えさせるわけです。

主人公は物語のヘソを目指す

物語はことごとく、そういう構造を持っているといってもいいですし、それがない物語は、読者や観客に不完全燃焼感を与えてしまいます。

ですので、その物語が**どういうクライマックスになるのか？　どういう局面と**

するかをアバウトでいいのでイメージしておく。

もちろん、そうした構想を立てた上で実際に書き始めて、違う決着のさせ方になる、例えば、最後は主人公が敵に勝ってハッピイエンドになる、と書く前は想定していたけれど、物語を書き進めるにつれて、最後をアンハッピイエンドにしたほうがいい、と変わるというような。

ただそうした変更であっても、主人公が敵と最大の戦いをして、何らかの決着をつけるという局面、クライマックスは外すべきではありませんし、そこに持っていくために一番いい入り方を考え（【起】）、いろいろとエピソードが展開しつつ（【承】）、そこを目指して物語を進行させるのです。

例えば、前項で例とした「バスで運命的な出会いをした男女」の物語で、それもサスペンスミステリーだとすると、実は主人公の恭介が間違って乗ったバスで出会った美女夏緒は、最初から恭介に接近する目的を隠していた。恭介の持っているメモリーを奪うのが目的だったとします。このメモリーが奪われてしまって、恭介が騙されて終わるというのはあり得ないでしょうから、その企みを打破して夏緒（とその背後にいる組織）との決着をつける。その局面、クライマックスシーンをどうするか？

ここをどういう場所で、どういう戦いがあって、と詳細にイメージする必要はありません。あってもいいのですが、書き進めるうちに新しいアイデアが出る場合もあるでしょう。ただ、ある程度クライマックスとして盛り上がる場面、主人公と誰を戦わせるのか？　接近してきた夏緒なのか、あるいは別の誰かなのか？　夏緒と恭介はどうなるのか？

このクライマックス部分、あるいはそこを経ての結末部分が作品のへそになります。これをイメージしておき、主人公はここに向かって行きます。

これは人物造型とも関わります。キャラクターシートの中に「動機と物語との関わり」という項目があります。

物語の人物には

【動機】→【目的】

（貫通行動）

が不可欠だからです。

【動機】は分かりますね。主人公の場合、物語上で「何かをしようと思うこと」ある【目的】に向かって進む。

この動機にも、自発的に発生させる場合と、外部からの無理やりの働きかけで生まれる場合に大別できます。もちろん、両方が入り混じってという動機になる物語もあります。

これによって物語の主人公は貫通行動で前進させます。途中で迷ったり、挫折しそうになったりはしたとしても、貫通行動によって物語のへそを目指す。これは外してはいけません。

第4章　プロ仕様　創作のプロセス完全攻略講座

レッスン7　仮タイトルと3行ストーリーを作る

さらに物語の基本三パターン

主人公の「動機」と「目的」の与え方によって、物語の基本型は「旅もの」と「空間限定」の二つに加えて、

・**サクセスストーリー型**
・**巻き込まれ型**

の二つがプラスできます。さらにもうひとつ、これらと合わせる型として、

・**相棒（バディ）型**

があって、**基本となる物語はこの五つとその組み合わせ**になります。

「**サクセスストーリー**」はその名の通りで、主人公が掲げられた目的に向かって頑張る。その奮闘を描きます。『**ロッキー**』や『**がんばれベアーズ**』『**ベストキッド**』など、スポーツものは多くはこの型になります。

「**ロードムービー型**」も、多くは目的地を目指す旅になりますので、達成を目指すという点ではサクセスストーリーともいえますし、あらゆる物語はその要素を含んでいるといっても間違いではありません。

「**巻き込まれ型**」は、主人公が平穏な（あるいはそれなりの）生活を送っていたら、何かのトラブルに巻き込まれて、回避しようと奮闘する物語です。

前にあげた『**エイリアン**』は、プログラム通りの宇宙飛行を続けていたチームが、凶暴な宇宙生物を拾ったことでトラブルに巻き込まれる。ヒッチコック監督の名作『**北北西に進路をとれ**』や『**間違えられた男**』など、多くのサスペンスは、こうした主人公がいきなりの事件に遭遇する、巻き込まれることで、いやおうなしに戦わざるを得なくなる。そこで主人

公の動機が発生して、目的はトラブルを配して生き残る、元に戻ろうとするのです。

もうひとつの「**相棒(バディ)型**」は、主人公と行動を共にする相棒が現れることで、ストーリーが動き始める。この二人は出会った当初は、対立や反目していたりします。そのほうがドラマが盛り上げやすい。

ロードムービーの多くは、相棒同士による旅となるケースがほとんどです。『**明日に向って撃て!**』『**真夜中のカーボーイ**』『**ロード・オブ・ザ・リング**』などなど。

空間限定型で相棒(バディ)をミックスさせると、いわゆる「**無理やり同居型**」になります。ひとつの空間に相棒と暮らすことでドラマが起きる。舞台空間が限定される戯曲ものが多く、ニール・サイモンの『**おかしな二人**』や『**裸足で散歩**』といった作品など。老老介護を描いたフランス映画の『**愛、アムール**』も同じ型になります。

「**相棒(バディ)もの**」と「**サクセスストーリー**」**の組み合わせ**は、一つの目標を二人(もしくは複数)で協力しあって目的を目指す。スポーツものも多くはこのバディの要素を踏襲します。

『がんばれベアーズ』ならば、コーチとなるウォルター・マッソーと、エースとして現れるテイタム・オニール。『ベストキッド』もリメイク版でも、ジャッキー・チェンとジェイディン・スミス。

あるいは悲劇的な様相となりますが、クリント・イーストウッドが女子ボクサー、ヒラリー・スワンクとの栄光を目指す『**ミリオンダラー・ベイビー**』(この映画はもう一人の相棒にモーガン・フリーマンが加わるが)。

このミックス型を私は「**マイ・フェア・レディ**」型と名付けています。バディとなる二人が共に主人公といえる重要度で展開する物語です。

3行ストーリーで決まる

話を戻して復習すると、**アウトライン**のイメージをはっきりとさせるためには、大枠としての**設定**を作り、**クライマックス部**であり作品のヘソとなる**テーマ**を確認する。そしてある程度造型した**キャラクター**(主人公ならびに副主人公)をその枠の中に放り込む。その人物の「動機」と「目的」ゆえに、ヘソを目指して動き始める。こうして**ストーリー**が具体的に見えてきます。

そこまでできたら、次にそれを簡単に文章化します。細かいエピソードを作って行く前に、シナリオでは次の作業を行なったりします。

『(タイトル)』(**仮**)
+
3行ストーリー

タイトルに関しては第3章（61頁）でも述べていますが、作品の顔ですから、これがインパクトがあって、しかも内容やジャンルを伝えているようなタイトルが付けられるか？　タイトルは最初から決まっていてもそれで通すことはむしろ珍しく、書いていていいタイトルが見つかることもあります。

　それはそれとして、ひとまず（仮）でもいいのでタイトルは付けておくべきです。それがあることで作品のイメージがはっきりします。

　さらに「**3行ストーリー**」というのは、**60字程度という意味**です。どういう物語を書こうとするのかを、ああなってこうなって、とダラダラ説明しなくていけない話には売りがないという証です。「こういう話」と簡潔に示すことができて、「おもしろそう」と思わせられるか、がアイデアの優劣のボーダーラインなのです。

　スティーブン・スピルバーグの映画がその代表例としてあげられます。

『ジョーズ』

　避暑地に巨大人食い鮫が現れパニックとなる。警察署長、海洋動物学者、鮫を標的とする船長の三人が戦いを挑む。

『プライベートライアン』

　四人兄弟の兄三人が戦死。末っ子のライアン二等兵を母親の元に届けるため、フランス最前線に向かう一個小隊。

『ジュラシックパーク』

　遺伝子工学で現代に甦った恐竜たち。彼らを見世物とした驚異のテーマパークで放たれた恐竜たちが人々を襲う。

　ヒットしたからというのではなく、やはり設定として「おもしろそう！」「見たい！」と思わせませんか。

　例えばこれが『戦う兵士』というタイトルで、「一個小隊がフランス最前線で必死にドイツ軍と戦う」話だとすると、まあ戦争映画ファンには響くかもしれませんが、アイデアとしての新しさは見いだせません。

ジャンルで方向性が決まる

　例としていた〝バスで美女と遭う話〟も、仮タイトルと3行ストーリーを作ってみましょう。

『バスストップ・闘争（ラブ）』

　間違って乗ったバスで出会った美女は産業スパイだった！　恋と会社の命運かけて、終着地点までたどり着けるか!?

　あるいは、

『恋のワンウェイチケット』

リストラ候補のサラリーマンがバスで出会った女性は余命わずか。彼女の最後の旅の道連れになり心の地を目指す。

前者はラブテイストを加えた**サスペンスアクション**、後者はいわゆる**難病物＋ヒューマンラブストーリー**になります（仮タイトルはパクリですが）。

122頁で「ジャンル替え発想法」を提唱しましたが、「間違って乗ったバスで……」というアイデアのシッポでも、ジャンルでまるで違った物語になるわけです。

どっちがいいか？　あるいは作者が書きたいかで選べばいい。ともあれ、この設定で、前者の設定では、バスという空間だけだとショートストーリーになりそうなので、ここは入口としてクライマックスは主人公恭介が持っていたメモリーの争奪戦の決着がつく局面。奪おうとした女スパイ夏緒が、恭介に銃をつきつけ、その間にもう一人黒幕の男が夏緒を銃で脅しているとします。

こちらの設定の場合、テーマはダメサラリーマンだった恭介の自覚、男（人間）として自立を見いだすとします。

日常に流されていて、生きる目的も見いだせなかった恭介が、夏緒との出会いでときめき、トラブルに巻き込まれて戦うことで成長する。**どんなダメな人間でも、必死になることで変われる**。これが**テーマ**で、**その変化を見せる局面こそがクライマックス**です。

次章で、この設定やテーマで全体をどう構成するか？　ハリウッド型の三幕構成を元に作ってみます。

同じように後者ならば、このバスを一台にするか？　あるいは（人気の旅番組のように）路線バスを継いで、難病の夏緒が行こうとする目的地に向かうロードムービーとする。

こちらの**ヘソとなる局面**は、主人公恭介と夏緒の心が結ばれるが、夏緒には死が訪れる、とします。

テーマは**『バスストップ・闘争（ラブ）』**と基本的には同じですが、難病要素が加わりますので、**命の大切さ、生きる意味を知る**といったことをより重く据える。

こうした局面と、**【転】**としてのテーマを想定したとして、夏緒が息を引き取る臨終シーンを描くのか？　あるいはその場面は見せずに、夏緒が見たかった風景を見ているシーンで締めるか？　あるいは違う場面とするかは、この段階では固めておかなくてもいいでしょう。ここまで実際に書き進めた段階で決めればいい。ですが、漠然とでもこうした**【転】**ないし**【結】**にする、という目的地はイメージしておいたほうが、錯綜せずに書けるはず。

ともかくとして、こうすれば、おおよそのアウトライン、ストーリー性が見えてきましたね。

レッスン8 シナリオの構成法（ハリウッド三幕構成）を知る

エンタメ系に不可欠な構成

小説を書こうとする人は、前章のような大まかなアウトラインができて、目的地が見えたら、さあ思うままに書くぞ、と一行目から書き始めて、という書き手が多いようです。

実はシナリオでも初心者ほど、そうしたヨーイドン！ 的な書き方をする人がいます。さらにいうと、そうした着地点も空白なままで、思いついたトップシーンから書き始める人。117頁の典型的な「見切り発車」タイプです。

稀にですが、そうしたやり方でエネルギーを爆発させることで、一気に書き上げてしまう。その熱が作品に反映され、コンクールとかで、小さくまとまった凡作を押しのけて入選してしまう、というケースもあります。

ただ、それは結果論であって、最初からそれを狙ったところで、内なる熱が秘められていなければ望むべくはありません。

ですので、その人の資質なり性格によって違いますが、書く前にやはり目安となる構成を作っておき、それを設計図として実際の建物をカタチにしていくほうがいいでしょう。特にエンターテインメント系を書こうとする場合は、ある程度の綿密な構成が不可欠となります。

述べたようにシナリオは、尺の問題がともないますので、限られた枚数の中でどうおもしろく物語を展開させるかの計算が必要となり、ゆえに**構成が重要な創作過程の要素**となります。

小説も感性のおもむくままといった感のある純文学は「見切り発車」でいいとしても、エンタメ系の小説とするためには、ある程度の構成を立てて書くほうが無難です。ただ、**小説の構成**に関しては、さまざまな小説ハウツウ本を見ても、具体的な手法などをあげているものはほとんどありません。ひとつは小説では、これぞといった構成の手法はないからと考えられます。

そこで**応用したいのが研究されたシナリオの構成法**です。シナリオの構成法に関しては、古くは『**東京物語**』など小津安二郎監督と組んで脚本を書いた野田高悟の『シナリオ構造論』など、さまざまな研究書、指南書があります。

さらに古典としては、能の大家である世阿弥による『**花伝書**』に記された**【序破急】**という考え方もあります。

そうした中で、主に日本ではいわゆる**【起承転結】**で構成を作る考え方が主流となっていました。

さらに最近では、アメリカのハリウッド映画界で研究された**【ハリウッド三幕方式】**（以下三幕方式）が注目されています。これが最近式でもありますし、考え方、抑えるポイントが明確ですので、これを小説の構成に応用してみます。

ハリウッド型三幕方式のベース

簡単に三幕方式について解説します。

これは世界マーケットに通用する商品としての映画を作るベースとなる考え方で、実際にハリウッドの、特にエンタメ系の映画は多くが、この三幕方式にのっとって作られています。

日本でも翻訳本（権威とされているシド・フィールド先生による『映画を書くためにあなたがしなくてはならないこと～シド・フィールドの脚本術』フィルム・アート社）など、関連本がたくさん出されています。興味のある方はぜひじっくりと読んで研究してみて下さい。

私も『ドラマ別冊・エンタテイメントの書き方3』（映人社）で、アカデミー賞の受賞作品をサンプルとして、ハリウッド型の三幕方式についてポイントを解説しています。この著では三幕構成のエッセンスを実例と共に述べていますが、さらにその要点を述べておきます。一応お断りしておきますが、あくまでも私なりの解釈ですので、相違点などがあるかもしれません。ご了承下さい。

構成の基本的な考え方としては、世阿弥が提唱していた序破急、さらには従来からの【起承転結】と当てはめてみると、図のようになります。話を大きく三つに分けて考えたのが三幕方式、【起承転結】は三幕目が転結を含んでいると考えていいでしょう（**図7、8**）。

いくつもの要素があるのですが、一番根本になっている構成の部分は、物語の全体のパラダイムを図のように三つの固まりで考える。

第一幕【発端】・第二幕【中盤】・第三幕【結末】で、この割合が基本型は1対2対1です。図は120分前後の映画を想定していますので、ページ数にすると、

400字詰め120枚で、30枚、60枚、30枚になります。

　一幕から二幕に移行するところ、さらには二幕から三幕になるところに、置かれているプロットポイントは、「ストーリーを前に転がす役目」とされています。

　なにかの転換、きっかけになる事件であったり、人物の境遇や心理を変える要素、出来事をここに持って来るのです。

　もうひとつ**【中盤】**の中ほど、つまり全体のちょうど半分くらいにミッドポイントという大きな転換点を据える、という考え方もあるようです。

[図7]

序	破			急
一段	前段	中段	後段	一段
起	承		転	結
発端（第一幕）	中盤（第二幕）			結末（第三幕）

　この三幕方式の構造は、実例を示すのが分かりやすいと思います。拙著『エンタテイメントの書き方3』で、たくさんのアカデミー受賞作のハコ書きを掲載しましたので、そこからメジャーな3作のハコ書きを転載します。詳しい解説は拙著をお読み下さい。その際、ハコ書きを押さえながら、DVDなどで映画を見直すことをオススメします。このポイントだけ述べておきます。

[図8]

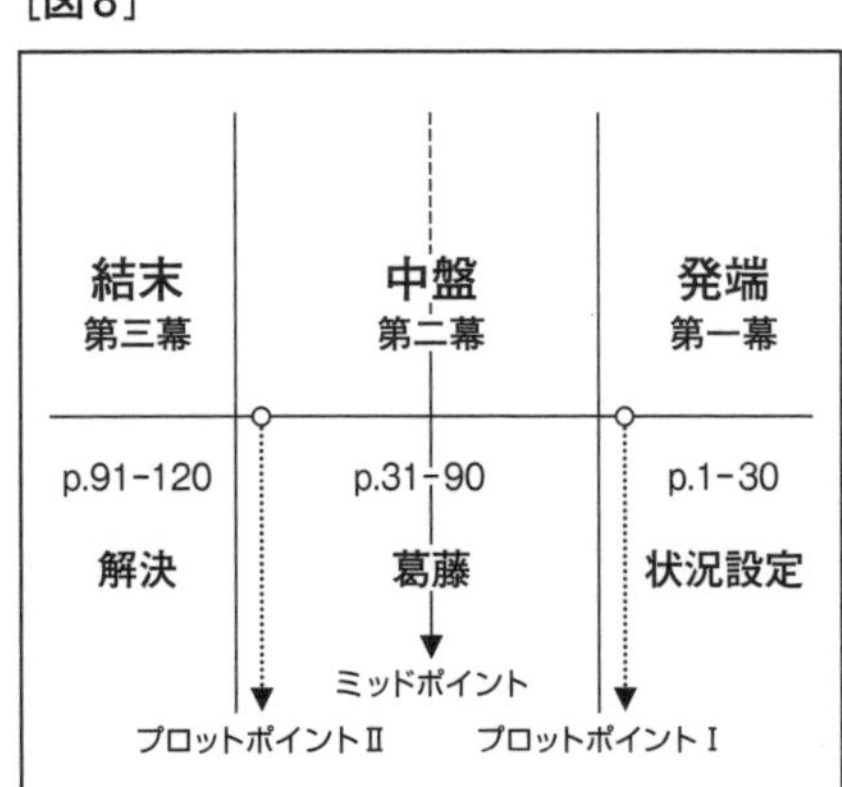

『レインマン』の三幕構成

　①は『レインマン』（図9）。破産しかけているクルマのディーラーのチャーリー（トム・クルーズ）が、疎遠だった父親が死に、その財産を受けとろうとすると、兄がいたことが判明する。その兄のレイモンド（ダスティン・ホフマン）は自閉症（映画公開当時の呼称で、今はアスペルガー症候群）。財産を得るために、仕方なく兄と一緒に旅をするはめになる物語。
　前項で述べた物語の基本型でいうと、典型的な「**旅もの**」、それも意に沿わない同士が道連れになる「**バディロードムービー**」になっています。

　図のように、全体で130分ですが、

一幕が27分、二幕が80分、三幕が23分になっていて、こちらは1対3対1の三幕構成です。二幕が丸々、兄弟が旅をするパーツです。

上の矢印は、主な人物の登場割合です。主人公はチャーリーでほぼ全編出っぱなし、一幕の途中から副主人公のレイモンドが現れて、チャーリーとからむ。重要な脇役のスザンナはチャーリーの恋人ですが、兄弟二人で旅をさせるために、途中で一度いなくなり、ある程度過ぎてから、旅に同行するという出し方という意味です。

この三人以外にも、最初のチャーリーの部下であったり、旅の途中で出会う家族、管財人などの端役も登場しますが、主要人物は三人だけです。

一幕から二幕へのプロットポイントは、チャーリーが切羽詰まって、施設から強引にレイモンドを連れ出し、旅を始めるところ。

二幕から三幕へのプロットポイントは、旅が終わって、目的地であったロスに到着するところ。ここから解決に向かいます。

ちなみに中盤の大きな転換点であるミッドポイントは、タイトルともなっているレインマンの秘密が明らかになるところです。

それまでレイモンドを、金を得るための手段としてしか見ていなかったチャーリーが、血の繋がった兄と認識する。ここからチャーリーの心理が変わっているわけです。

『刑事ジョン・ブック／目撃者』の三幕構成

続いて②はミステリーの『刑事ジョン・ブック／目撃者』（図10）。

宗教上の教養により文明から距離を置くアーミッシュの母子が、駅で殺人事件の目撃者になってしまう。その捜査の担当刑事のジョン・ブック（ハリソン・フ

［図9］『レインマン』構成表

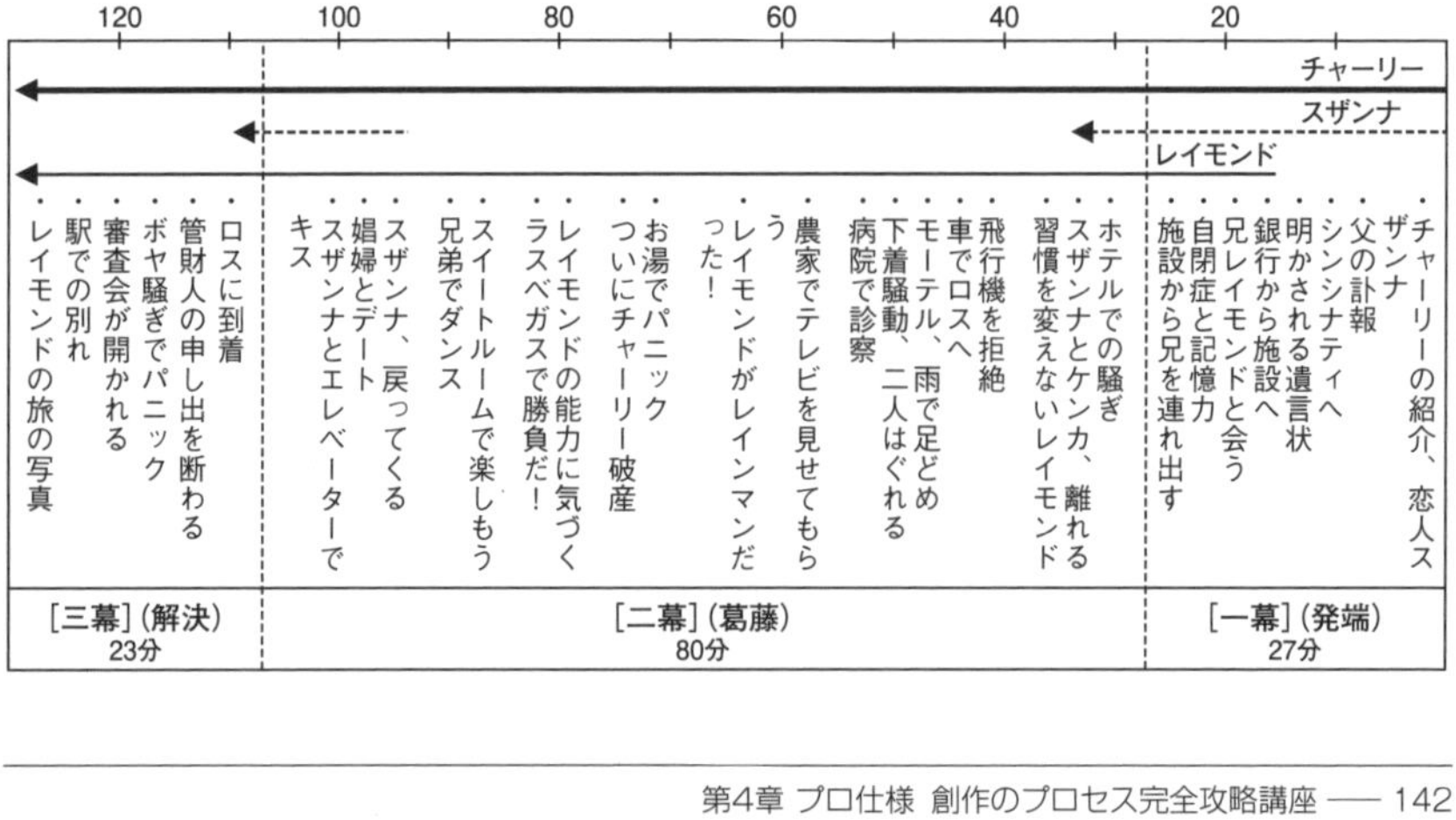

ォード）は、警察関係者内の不正を知り、追われるはめになりながら、アーミッシュの未亡人レイチェル（ケリー・マクギリス）と恋に落ち、事件を解決する。

この物語は導入としてのフィラデルフィア駅と市警ですが、二幕早々からほぼアーミッシュの村だけで物語が展開します。

前項で述べた「**空間限定型**」といっていいでしょう。さらには（刑事という職務でもあるのですが）主人公のジョンが市警内での不正を知ってしまうことで、殺されかけて逃げる。つまり「**巻き込まれ型**」ともなっているわけです。

図のように一幕29分、二幕62分、三幕22分となっていて、こちらはほぼ1対2対1の三幕構成です。

下の①②は小説の小章に当たるシークエンスです。この映画の場合は、全部で10章で作られています。ただしこれは私の判断による分け方で、細かく分類すると、②はジョン・ブックの登場までと、その後の捜査、レイチェルとの対立や食事といったエピソードの二つの章に分けられるかもしれません。

一幕から二幕のプロットポイントは、警察署内で目撃者であるアーミッシュの子のサミュエルが「この人」とケースの中の写真を指さすシーンです。

この瞬間、殺人犯は同僚の刑事であるとジョン・ブックが気づく。まさに物語が大きく転換するところです。

そして二幕から三幕のプロットポイントは、ジョンとレイチェルの恋がひとつの成就を示すラブシーンと、さらに三人の悪徳警官たちが村にやってくる場面です。このように、プロットポイントはひとつではなく、幕の最後と次の幕の冒頭というようなケースもあるようです。

『ゴースト／ニューヨークの幻』の三幕構成

［図10］『刑事ジョン・ブック／目撃者』ハコ書き

120　80　60　40　20

三幕（解決　22分）		二幕（葛藤　62分）						一幕（発端　29分）	
⑩	⑨	⑧	⑦	⑥	⑤	④	③	②	①
・背広のブック　池の畔でサミュエルと レイチェルとの別れ　義父とダニエル 「英国人に気をつけろ」　タイトルバック	・やってきた三人の警官 ブックを渡せ　サミュエルを逃がす ・サイロでの死闘 ・戻ってきたサミュエル　マクフィーを射殺 ・鐘を鳴らせ　人質はレイチェル 集まってきた村人　「もう終わりだ」	・観光客に悪態　カーターの殉職 ・チンピラを撃退　パトカーに知られる ・ポストを直す　「彼は明日出ていく」 レイチェルの決意　抱き合う二人	・副本部長の圧力　「俺たちも信者」 ・村人総出の納屋づくり ・村人たちの噂　彼らの一員に？ ・レイチェルの裸　ブックの葛藤 「君を抱いたら去れなくなる」	・ブックの生活　車の修理 ・早朝の乳搾り　朝食 ・ダニエルのレイチェルへの思い ・おもちゃの工作　納屋でのラジオ ・見つめ合うダンス　義父の怒り	・副本部長の捜索　彼らには電話もない ・村の長老たち　銃は預ける ・祖父のおしえ　アーミッシュの習慣 ・ブックの外出　相棒カーターに連絡	・アーミッシュの村へ　腹を撃たれていた ・死んだら秘密に　車を納屋へ	・副本部長への報告　二人だけの秘密 ・駐車場での銃撃戦　負傷 ・母子を連れて逃亡　・姉への尋問	・フィラデルフィア駅　トイレでの殺人 サミュエル目撃者に ・ジョン・ブック登場　犯人は黒人 ・ブックの強引捜査　レイチェルの反発 ・姉の家に　「俺以外はカボチャ」 ・面通し　三人での食事 ・サミュエルの発見　犯人はマクフィー刑事	・タイトル　アーミッシュの人々 T「ペンシルベニア州　1983年」 ・葬式　未亡人レイチェルとその子サミュエル ・駅　「英国人に気をつけろ」

③は『ゴースト／ニューヨークの幻』（図11）。

　恋愛物というジャンルにくくられますが、主人公のサム（パトリック・スウェッジ）が殺されて、**幽霊**となって右往左往するファンタジーであり、自分を殺した犯人を追い詰めるミステリーともいえる。つまり**ラブファンタジーミステリー**が正確なジャンルです。

　構造は一幕26分、二幕70分、三幕26分というほぼ1対3対1です。シークエンスとしては14。

　この映画の脚本は見事に三幕構成のポイントを踏襲していてサンプルとして最良です。

　まず冒頭から**【起】**の部分で、主要な人物三人の紹介と、サムとモリー（デミ・ムーア）のラブシーンを入れ、一幕の終わり（二幕へのプロットポイント）として、主人公が何者かに殺されてしまう。さらに魂が肉体から離れるという衝撃を持ってきています。

　ゴーストとなって失意のモリーを見つめる過程で、親友だったカールが接近し、仲間ともいえる地下鉄の幽霊や、霊媒師のオダ・メイ（ウーピー・ゴールドバーグ）との出会い、さらには自分を殺させたのがカールだと知る（ここがミッドポイントでしょうか）。

　そこから自身の姿をモリーに見せられないサムが、地下鉄幽霊やオダ・メイらの助けを得て、カールを追い詰めていくサスペンス展開へとなります。

　二幕から三幕へのプロットポイントは、ゴーストとしての念道パワーを獲得したサムが、実行犯の男に報復するシーン。

　三幕は解決編として、モリーがサムの存在をようやく知る展開と、カールの反撃でモリーにも危機が迫る。まさにクライマックスシーン。そして、最後のラブシーンと別れの**【結】**で物語が終わる。

[図11]『ゴースト／ニューヨークの幻』ハコ書き

一幕（26分）		二幕（70分）									三幕（26分）		
①	②	③	④	⑤	⑥	⑦	⑧	⑨	⑩	⑪	⑫	⑬	⑭
・タイトル　部屋の解体　サム、モリー、カール ・コインのお守り　銀行員サムとカール ・天使像　同棲開始　幸せへの不安 ・ろくろ回しラブシーン	・銀行内の疑惑　怪しいカール ・将来への展望　結婚しましょう 「愛している？」「同じく」 ・拳銃強盗　格闘　死んでいる自分！ 夢？　来世のヒカリ　病院へ　迎えが来た	・自分の葬式　うつろなモリー　カールの接近 猫には分かる　思い出の整理　カールの申し出 ・侵入する強盗　間一髪　男を尾行	・地下鉄の幽霊　強盗はロペス ・さまようサム　霊媒師オダ・メイ サムの声が聞こえる！　モリーに伝えて	・オダ・メイを信じるか？　三者会談 ・カールに相談「僕が調べる」　尾行 ・カールが黒幕だった！「コードを探せ」	・信じない婦警と刑事 ・カールの家探し　手帳を見つけた ・オダ・メイは前科者　・コードが一致した	・失意のモリー　カールの誘惑 サムの思い　写真立てが倒れた！	・地下鉄幽霊を探せ！　レクチャーを受ける 念力で動かせ　ついに達成！	・繁盛しているオダ・メイ　ロペスが来た 霊たちを追い出せるぞ	・サムの反撃　オダ・メイで400万ドル カール、あと10分で送金　モリーが目撃 小切手を寄付　追い詰められたカール	・モリーに訪ねるカール　彼女を殺すぞ ・襲われるオダ・メイたち　ロペスの恐怖 悪霊につれていかれるロペス	・オダ・メイを信じないモリー　コインが動いた サムは隣にいる　オダ・メイの身体に もう一度のラブシーン	・カールの襲撃！　動けないサム オダ・メイとモリーの危機　カールの死	・光が見える　霊とのキス　最後のお別れ 「愛していた」「同じく」「また会おう」 エンディング

レッスン9

ハリウッド三幕構成を小説に活かす

章＝シークエンスで考える

ハリウッド型の三幕構成の作りや、ポイントのおおよそはお分かりいただいたと思います。

映画は通常、2時間前後ですが、設計図としてのシナリオは、日本の場合、400字詰めで100〜130枚程度です。おおよそですが、**原稿用紙1枚分で、約1分に相当**します。

小説でこの枚数ならば、長めの短編から中編に相当します。ですが、シナリオは簡略化して書かれますので、これをある程度描写として綴っていくと、**200〜250枚程度の中編小説**、もしくは**短めの長編**に相当とみていいでしょう。

例として二時間前後の映画の構成を取り上げましたが、**一時間ドラマ**の構成も同じように考えられます。枚数的には50〜60枚ですが、一幕を10〜15枚、二幕が20〜30枚、三幕は15〜20枚とする。

これを小説に換算すると、**80〜100枚程度の短編**になるでしょう。シークエンスやエピソードが減りますが、基本的な構造は同じと考えていい。

ともあれ、400字で100枚の小説を書くとして、**基本構造として各章を10枚ずつで、10章で構成**する。

すると、次ページの図のように例えば一幕を2章（20枚）として、二幕を5〜6章（5〜60枚）、三幕を2〜3章（20〜30枚）に分けます。あくまでもベースとなる簡略版ですよ（**図12**）。

ちなみに、小説を書こうとする人で、最後まで書けずに挫折する理由は、前述した「見切り発車」型で、冒頭の展開だけは考えて書き始めるが、その後ができていなくて、ストップしてしまう、というのが一番多い。

けれども、リズムをつけながら、**各章で10枚程度と区切りながら書き進めてい**

[図12] 10章（100枚）想定構成・要素（例）

幕	枚数	構成・要素
一幕	20枚	1章［起1］10枚……主人公の紹介・印象的な登場・出会い・事件など 2章［起2］10枚……ライバル or 副主人公との関わり、対決、謎の提示
二幕	50枚	3章［承1］10枚……主人公がさらなる事件と遭遇など 4章［承2］10枚……主人公と副主人公の対立・葛藤深まる or 敗北 5章［承3］10枚……失意の主人公 or ライバル側の背景、危機的状況 6章［承4］10枚……物語上の大きな転機、謎の解答、さらなる謎 7章［承5］10枚……副主人公 or 脇役の死（犠牲）、ライバル対決前
三幕	30枚	8章［転1］10枚……迫る最大の危機、障害、対決へと向かう 9章［転2］12枚……必死の戦い、明らかになる真相、逆転 10章→［結］8枚……別れ、本当の謎の解答、余韻

［図13］ バスストップ闘争（ラブ）・ラフ構成

一幕（発端）	１章［起１］……満木恭介の朝、新薬開発プレゼン、データのメモリー、大沢課長の指示、バス停へ、美女（夏緒）とニアミス、違うバスに乗る ２章［起２］……路線バス内の客たち、恭介の隣りの夏緒、間違いに気づくが降りない、狂う思惑、恭介の事情（悩み、ダメさ加減）、怪しい３人組の客、追随車気づかない恭介、夏緒は気づく、接近、３人組のバスジャック、混乱の車内、気の弱い運転手など 【プロットポイント】
二幕（中盤）	３章［承１］……勇敢な乗客を男１殺害（？）、集められる乗客、奪われるスマホ、サイフ、探られる恭介の鞄、メモリーはない、過ぎるバス停、待ち客が電話、緊迫の車内、恭介に迫る危機、目的は恭介か？　夏緒の不思議な行動 ４章［承２］……恭介に男３耳打ち「メモリーは？」、運転手心臓発作、男２が運転、暴走、バスジャック発覚（カーアクションとするか？）、夏緒と男たちと格闘 ５章［承３］……臆病な恭介、パニック、パトカー、大沢課長らの動き、バスの行方は？　メモリーはどこに？　バス、大型スーパーに突入、夏緒と恭介逃亡、新たな敵たちの追跡、格闘、夏緒負傷 ６章［承４］……恭介と夏緒、味方ではなかった夏緒「メモリーは？」、パンツの中（偽物）、ネットカフェへ、夏緒の傷を恭介が処置、夏緒の正体、迫る敵チーム、敵側の正体、新薬の秘密（莫大な利益）、【ミッドポイント】 ７章［承５］……本物のメモリーはバスの座席、二人現場に、大沢課長と敵側の結託、売られるコピーデータ、恭介が細工、事故バス車両のメモリー回収、夏緒も騙されていた？　アジトへ連れていかれる、殺されている大沢、本当の黒幕（プレゼン現場にいた誰か？）発覚　【プロットポイント】
三幕（解決）	８章［転１］……アジトに監禁される恭介と夏緒（ラブ要素？）、細工、奪われるデータ、夏緒の傷悪化？　最大の危機と脱出、黒幕との対決へ ９章［転２］……黒幕、夏緒、恭介を挟んでの対決、本当の真相、製薬会社の秘密、戻ってくるバスジャック犯、壊されるデータ、対決の決着、警察乱入 10章［結］………エピローグ、製薬会社のスキャンダル発覚、倒産、恭介失業、数ヶ月後、バスに乗る夏緒、隣りに座る恭介、バスの行き先は?

くと、挫折しにくくなるはず。

ともあれ、各章で描くべきこと、要素なり見せ場的な何かを入れていくように進めて行く。で、一幕から二幕に転換する事件なり要素を考える。例えば、前章でアイデアとした『バスストップ・闘争（ラブ）』を、このハコに当てはめてみます（**図13**）。

これはあくまでも仮の構成ですが、図のように大まかな物語の流れが出来てきました。実際にこの通りに展開するかは、書き出してみないと分かりませんが、ともあれこれをベースにすることで、何とかなりそうです。

こうしたシークエンスごとに出来事を書いていくのがシナリオではハコ書きといいます。

ハコを作る際のポイントとして、簡単に起きるインシデント、つまり出来事、エピソード、入れるべき要素（小道具、伏線、人物の心理）などを簡単に箇条書きしていきます。

大体起きることを書いていくのですが、浮かばない場合は「事件」みたいにして空けておく。

ハコ書きで推敲を重ねる

ちなみにシナリオのハコ書きは、大まかなストーリー展開をはっきりさせるために書いていくのですが、もうひとつ重要な意味は、**推敲をする**ためです。

実際に書き手が物語に入り込んで、主人公の心情と重なってしまうと（そうならないといい作品にはならないというのも事実）、客観的に眺めることができなくなってしまいます。

例えるならば、物語の森の中に主人公と一緒に足を踏み入れてしまうと、目の前の道とか木、障害物しか見えなくなってしまう。物語のクライマックスと結末が、森の奥にある秘密の宮殿だとすると、そこを目指して進んでいくのですが、寄り道をし過ぎたり、元の場所に戻ってしまったりと錯綜することもしばしば。

ハコ書きは森の入口から、奥の院の宮殿までの道筋を示した地図を描くというイメージでしょうか。この段階では俯瞰で全体を眺められますので、

「ここらで敵となる熊が襲ってくる」

「砦があって、破らないと前に進むことができない」

「謎の人物が現れるが、敵か味方か不明」

というように、おもしろく運ぶためのインシデントを配置していくのです。

大まかな道筋や出来事を書きながら、段々に細かく詰めていく。推敲のためでもありますので、もっといい何かが思いついたら書き込んだり、思い切ってカットしたりします。

この道筋を章（シークエンス）ごとに分けて、ブロックの中で起きるインシデントを書いていく。

さて、シナリオのハコ書きを作る際に、留意ポイントがいくつかあるのですが、ひとつにはインシデントをただ並べて、ハコを埋めていけばいい、ということではありません。**大事なのはメリハリであり、伏線**です。

一つの章に必ず見せ場を配置する

メリハリをつけるために私が提唱しているのは「**見せ場配分法**」です。簡単に言うと、ひとつのハコ（シークエンス）の中に、何らかの見せ場となるシーンなり、インシデント、事件を最低は一つから二つは入れる（**図14**）。

見せ場となる場面に関しては、ある程度じっくりと枚数をかけて描くようにする。ここが書き手の筆力が発揮されるところで、観客が画面から目が離せないようなシーンとする。

この見せ場はアクションものならば、当然アクションが見せ場となるでしょう。主人公が誰かと戦う、ファイト場面であったり、カーアクション、ガンアクション、殺陣といった場面。それもできるだけ今まで誰も見たことがないようなアクションとできるか？

またアクションものだからといって、アクションだけが見せ場とは限りません。ラブシーンや別れのシーン、ハラハラドキドキのサスペンス、しっとりと重要な人物と語り合う、主人公が必死になったり、逆に誰かにコテンパンにやっつけられるといった場面も見せ場になるかもしれません。

例とした『**ゴースト**』の、冒頭に出てくるパトリック・スウェッジとデミ・ムーアのろくろを回しながらというラブシーンは、いまだにパロディになるくらいに知られています。確かにエロチックさと見せ方（主題曲の効果もあったが）に工夫がされています。

同じく『**刑事ジョン・ブック／目撃者**』も、この映画の中で唯一といえるハリソン・フォードとケリー・マクギリスのラブシーンがありました。この物語は、ケリー扮するレイチェルは、厳格な戒律のアーミッシュの未亡人でした。そこに俗世間の汚れに満ちた刑事のブックを匿うはめになる。

まるで価値観の異なる世界で生きていた二人がたった一度だけ結ばれるという象徴としてのラブシーンゆえに大きな見せ場となっていました。

つまり、見せ場を配置するにしても、唐突に放り込めばいいということではもちろんありません。そこにもっていくまでの流れをしっかり作らなくては、見せ場は見せ場になりませんし、観客の心を摑めない。

井上ひさしさんがおっしゃった、エンターテインメントとは〝間〟というのは、まさにそうした運びの大切さを述べていたのです。

クライマックスは最大の見せ場

さらに付け加えると、全体の構成の終盤、クライマックス部分と結末パーツは、最大の見せ場でなくてはいけません。

ミステリーならば、ここで真相が明らかになる。当然、観客が予測した通りになってはいけない。あるいは、主人公が最も危機的な状況に追いやられる、最大の敵と雌雄を決する戦いをする、そうした場面、局面をもってくるのです。

133頁で、主人公は物語のへそを目指すと述べましたが、つまり**ここがヘソに当たります**。プロットを構築する際に、このへそをイメージしておくべきだ、というのは、一番盛り上がる見せ場があいまいなままでは、主人公はどこを目指せばいいか分からないでしょうし、立ち止まってしまう、すなわち物語自体が中途半端になってしまうのです。

最初から「こういう場面」とガチガチに固めてしまう必要はありませんが、おおよそこういう場面になる、といったイメージはもっておく。主人公にとっての一番となる局面をある程度決めておくことで、ここに向かって物語が錯綜せずに進めるはずです。

このブロック方式を拡大させれば、**長編小説にも応用**できます。400～500枚の長編を書こうと思うと、気が遠くなりそうですが、50枚で一章（一ブロック）でそれを10章と考えると、なんとか書けそうです。

その場合も、大きな章の中に**5～10枚ごとに小章としてエピソードごとに区切っていく**。この章で考えて、小章で展開していくことで、書く側にもリズムがついてきます。作者が小章で一息ついて、さらに次の章へと入っていく。

この**章展開のリズムは、当然読み手のリズム**になります。以前、まるで章に分けられていない数百枚のアマチュアの小説を読まされたことがありますが、これはひたすら苦行でした。ダラダラと文章が連なっているという印象で、読みながら、そこから抜け出せなくて、息苦しさを覚えてしまう。物語どころではありませんでした。

ただし、章分けは必要だといっても、数行、数十行ごとで小章、さらに小章といった、あまりに細かい章立てがされていると、逆に落ち着きません。インサート的に、別視点であったり、違う場面を短い記述で入れる、といった手法はうまくできると効果を発揮しますが。

この章ごとの文章量は同じにする必要はありませんが、あまりバラバラだと全体のリズムが悪くなります。

この場合も、**1章の中で必ず見せ場をひとつか二つ配すること**を忘れないようにします。

松本清張『共犯者』の三幕構成

参考に以前、私が分析した松本清張の短編ミステリー『共犯者』の章配分を図にしてみました。傑作短編集や全集、新潮文庫などに収録されていますので、ぜひお読み下さい（図15）。

この小説は一九五六年に書かれたものですが、いまだに現代に置きかえてドラマ化されたりしています。

例えば二〇一五年の九月にも、主人公を、化粧品会社の社長にのし上がった女（観月ありさ）が、夫殺しを愛人と実行した後で……と、大胆に脚色された単発サスペンスドラマとしてオンエアされました。

原作の小説は、セールスマンとして各地を廻っていた男が、たまたま知り合った男と強盗を行ない、盗んだ金を山分けし、「二度と会わない」と取り決めをして別れる。数年後に、盗んだ金を資金に事業を成功させたが、男は生活が安定するにつれ、共犯者だった男の現在が気になり始める。そこから疑心暗鬼がふくらみ、人を雇って調べさせようとして、自分自身を追い込むようになり、自滅を招いてしまう。

全体が約44枚の短編ですが、8つの小章で構成されていて、各章の文量とおおよその内容が図のようになっています。

途中の4章目が若干多めですが、各章は5枚前後で書かれていて、クライマックスの最終章が8枚と、一番の文量が費やされています。

もちろん、松本清張が売れっ子作家として短編を量産していたこの時期に、綿密なプロット、構成を立てた上で書いていたとは思えません。おおよその想定を頭の中で作り、経験で一気に書き上げたのでしょう。

それはともかくとして、この44枚の短編もハリウッド型三幕方式に当てはめることができそうです。

導入の1章は、主人公の内堀彦介の紹介と現在、過去の秘密があるということ。その秘密の内容の強盗殺人の詳細の2章までのほぼ10枚弱が第一幕。

第一幕から第二幕へのプロットポイントは、共犯者町田と交わした約束の提示です。

第二幕は3章から6章までの4章分。枚数にすると、21枚。物語の全体を変化させるミッドポイントは、5章の内堀が竹岡に町田の調査を頼んだ後に、竹岡が余計なアプローチをしてきたところ。ここから内堀のさらなる不安が拡大していきます。

第二幕から第三幕へのプロットポイントは、町田が西にやってくるという情報がもたらされ、内堀が不安から恐怖心を抱きはじめる。

そして、事件が決着する第三幕が、7

章と8章の13枚。内堀が恐怖からそれを取り除くための行動を起こす7章を経て、最終章の【転】。

【起承転結】の【転】はクライマックスとして盛り上がる局面であると同時に、意外性を示す逆転の【転】であることが望ましい。この小説では竹岡による謎解きがされ、内堀の転落があり、テーマとしての帰結の【結】で終わります。

こうして見ると、エンターテインメントの達人であった松本清張は、無意識のうちに、おもしろく物語を展開するハリウッドの手法を駆使していたという言い方もできるわけです。

[図14]

1ブロック＝1クライマックス（見せ場）
＋
クライマックスを「描写」とする

[図15] 松本清張「共犯者」分析

章	枚数	内容
1	4.8	主人公、内堀彦助の現在と経歴・秘密（犯罪） 共犯者の町田武治（副主人公1） 不安（物語の動機的要素）【起】
2	4.8	犯罪（強盗殺人）の詳細 交わした約束 以下【承】
3	4.7	不安の中身 生活の変化としての愛人 展開としての天啓
4	6.3	町田の手がかり（宇都宮出身・漆器商） 次へのアプローチ 第3の人物（副主人公2）、雇い入れた竹岡良一
5	5.0	竹岡からの報告 町田の情報 竹岡からの余計なアプローチ 不安 → つかの間の安心 → さらに不安要素
6	5.0	不安の拡大 逡巡 町田の窮地＝主人公を追い込む事態 町田は西へ 迫り来る不安（拡大する疑心暗鬼）から恐怖へ
7	4.9	恐怖の頂点 【転】への決意 行動へ
8	8.0	クライマックス的場面【転】（逆転でもある）竹岡による謎解き 内堀の転落 テーマの帰結としての【結】

全体 400字×44枚

第4章 プロ仕様 創作のプロセス完全攻略講座

レッスン10 おもしろくする3つのポイント

精神論はともかく、例えば**物語をおもしろくするための三つのポイント**があります。書く時に心の片隅にとめておくと、それなりに役立ちます。

①ミステリーの要素
②伏線
③意外性・サプライズ効果（ハプニング）

これらはバラバラではなく、密接に関連しています。

まず「ミステリーの要素」ですが、これについては第2章「シナリオテクニックをどう小説に活かすか?」の中の「エンターテインメントテクニック」のひとつとして「伏線」と共に、詳し目に述べました（29頁）。

重複しますが、もう少し実践的に解説しておきます。改めて、**「ミステリー」は、「秘密性」「謎」**といった言葉に置きかえられます。

ミステリーというと、小説のひとつのジャンルですが、ここでいうミステリーはあらゆるジャンル、恋愛小説であろうが、ホームドラマであろうが、入れてほしいミステリー的な要素、つまり秘密性であったり、謎です。これが読者を引っ張るのです。

「謎」が読者の興味を引っ張る

全体の構成を詰めていく段階で、インシデントをハコに書き込んでいく。さらには実際に書き始めていく段階でも、常に「どう運べばおもしろくなるか?」と考えるべきです。

おもしろくするのは簡単ではありません。まさにテクニックがなくてはいけませんし、そのテクニックをつかむにはたくさんプロの作品を読み、自身でもたくさん書いて会得するしかない。

例えば、プロットを作った『**バスストップ闘争（ラブ）**』の物語。主人公の満木恭介の三人称で展開させる小説だとして、彼が出会った美女夏緒が実は凄腕のスパイだということは、最初からバラす必要はありませんね。

その前に主人公恭介の情報も、どこまで明らかにするか？　もちろん、描写として彼が幾つぐらいで、どういう容姿をしているのか？　さらには、性格であったり、サラリーマン（例えば、製薬会社の研究員兼営業担当）であること、といった情報は伝えなくてはいけない。

あるいは、彼が間違ってバスに乗ってしまうとすると、その理由であったり、状況をどう描くか？　また、恭介がその日、重要な情報の入ったメモリーをカバンの中に入れていることを、最初から明らかにするのか？

例えば、彼の上司で、実は極秘情報を売ろうと企んでいる大沢課長との電話のやりとりをさせる。

「あ、課長、無事に先方に伝えました」
「そうか、じゃあ、世田谷に廻って、そいつを遠山先生に渡せ」
「え、そうなんですか？　まっすぐに本社に持っていけって」
「いいんだ。本社からの指示だ」
「そうなんですか……」

といったやりとりをさせる。ここで、何を届けようとするのかを分からせてしまうのか、それとも何か重要なものというニュアンスだけで運んでしまう。

乗ったバスで、出会う美女も、隣に座ろうとして、バスの揺れでわざとらしく恭介に倒れかかり、微笑んでみせる。その際に、以後の展開につながる何かがハンドバッグの隅にあるのが見える、というような。

夏緒という名前も、最初から明らかにせず、この女は何者なのだろう？　という謎を投げておいたほうが、読者は興味を持続できます。

こうした秘密や謎を適度に配しながら、その答えを示していく。ただ、あまりにも全部を謎や秘密のままにしておくと、読者もイライラしてきます。

どう謎を提示してどう答えを示していくか？　そうした配分がテクニックになります。

「伏線」が機能すれば完成度が増す

②の伏線は**定義**としては、「**後の展開に必要となること、要素をそれとなく提示しておくこと**」です。

述べてきた謎や秘密とも関連しますし、さりげなく示しておいて、後で「あれはそういうことだったのか！」と読者に思わせられれば成功です。

伏線をどう張って、どう回収するか？

は簡単ではありません。ただ、伏線、伏線と考えると難しいのですが、細かいプロットを作っていく作業をしていくと、自ずから伏線は張られているはずなのです。以後の展開につながる事件であったり、人物、ディテールを描いていれば、それは伏線になるのですから。

そういう言い方だと、伏線の張り方がイメージできないかもしれません。具体例として、伏線がバッグンにうまく機能している映画をご紹介しましょう。誰もが見たことがあるはずの、タイムトラベルSF映画の傑作**『バック・トゥ・ザ・フューチャー』**です。

オープニングは、無数の時計やタイマーの仕掛けが動いている朝のシーンでした。ここでテレビのスイッチが入って、女性のアナウンサーが「原子力発電所からプルトニウムが盗まれた」というニュースを伝えています。

これがまずさりげない伏線ですね。ここは町の発明家ドグの家で（この段階では登場させない）、やってくるのが主人公のマーティ（マイケル・J・フォックス）。彼はスケボーを持っていて、部屋の片隅にプルトニウムと書かれた金属の小箱がある。

それには気づかないマーティが巨大スピーカーに繋いだギターを弾くと爆音がして……。

この後、マーティの日常が描かれるのですが、たとえば、ガールフレンドのジェニファーと町の広場で話していると、おばさんが近寄ってきて募金を求める。

マーティが仕方なく応じると、おばさんはチラシを渡し、マーティは着ていたダウンジャケットのポケットに入れる。彼らがいた広場には、この町のシンボルである大時計があるのですが、針が止まったまま。おばさんはこの時計の復興運動をやっていて、チラシには30年前の落雷で止まったことが書いてある。

ご存じのように、このチラシ（とその情報）は、マーティが30年前から現代に帰ろうとするための重要なインシデント、つまり伏線のひとつです。

マーティの家庭の描写、例えば傲慢な隣人のビフに、いいがかりをつけられている気の弱い父ジョージの様子。これも伏線です。

そして深夜にドグに呼び出されて、完成したデロリアンを見せられて、第一幕の大きな見せ場となります。

ここで燃料であるプルトニウム（冒頭で張ってあった伏線が回収される）を盗んだテロリストがドグに報復に来たことから、トラブルが発生。ドグはマシンガンで撃たれる（新たな伏線）。

マーティは当初の予定とは違う過去、父と母がまだティーンである30年前にタイムトリップしてしまいます。第一幕から二幕へと転換するプロットポイントです。

冒頭部分だけでも、後半に繋がるたくさんの伏線が張り巡らされていることが分かりますね。時計台に関するチラシや、過去に来たマーティが、タイムマシンの研究を始めたドグに渡す手紙は小道具としての伏線。

さらに、さりげないディテール、マーティが乗りこなしているスケボーやロック過ぎるギター。あるいは、着ていたダウンジャケットも、過去ではまだない製品であるがゆえに、これも効果的に使われる。

こうした小道具、アイテムだけでなく、嫌なヤツであるビフと、気の弱い父ジョージの関係性、さらに太った母親なども伏線として見せてあるので、終盤の変化が納得いくようになっています。

伏線というと、特別に仕込んだ上に、と思いがちですが（もちろん、そうした効果を考えて入れることも多々ある）、シーンを作る、ストーリー展開を練ることとは、すなわち伏線を張り巡らせる作業となると言ってもいいわけです。

当たり前ですが、それが巧みであればあるほど物語としての完成度は高まるのです。『バック・トゥ・ザ・フューチャー』のように、ストーリーの一部となっている伏線が理想的ですし、これが物語の密度を高め、おもしろくする大きな要因なのです。

予想は裏切れ、期待は裏切るな

三番目の「意外性、サプライズ効果、ハプニング」ですが、これについては第1章ではあまり触れていませんでしたが、おもしろくする高級テクニックといえます。

おもしろい物語を表す惹句に、「**観客の予想は裏切れ、期待は裏切るな**」という言葉があります。

観客（読者）は物語を追いながら、無意識に「こうなるだろう」と予想しています。それがその通りになった場合、「やっぱりな」と納得するか、逆に「それでいいんだ」と思う場合があります。

後者でもOKの場合もあります。『**水戸黄門**』の最後の葵の印籠を掲げて、といったご存じものは、視聴者はそうなることを〝期待〟しているので、それを裏切ってはいけない。

あるいはアクションものなどでは、主人公がクライマックスで最大の敵と戦うのですが、最後には主人公が勝利を収めることが分かっています。この場合は、勝ち方であったりで、いかにハラハラさせたり、思わぬ方法で勝ったりといった意外性として描けるかがポイントになります。

こうした予想通りの展開でも、そこに観客の想像を超える意外性があると「なんだよ、やっぱりな」という失望になりません。場面の作りに今までにない工夫があればいいのです。

　さらに観客の予想を裏切るような展開になると、俄然、おもしろさは倍増します。ただし「ええっ？　それはないよ」ではなく、「ええっ、そうなるんだ！」と思わせる意外性、ハプニングでなくてはいけません。これができると、読者の心を一気につかめます。

　例とした『バック・トゥ・ザ・フューチャー』で、マーティが初めてデロリアンに乗る場面も、「へえ、タイムマシンなんだ。じゃあ、乗ろうぜ」となっていない。テロリスト襲撃というハプニングが起きることで、がぜん「どうなる？」というおもしろさ（サプライズ効果）が増します。

　また、マーティが得意なスケボー。これを乗りこなす姿を見せておきながら、マーティはこれを持って過去には行きません。ところが、「なるほど、こういう使い方をするんだ！」というアクションシーンとして登場します。伏線をきちんと張っておきながら、観客の想像を超える意外性で見せることで、おもしろさになっているわけです。

　このハプニング、意外性はプロットの段階ではなく、実際の執筆時にも使えます。書いていると、筆が止まってしまい先に進めなくなる時が一度や二度、いえ何度もあります。

　その突破口のひとつとして、ここに何らかのハプニングを放り込むのです。例えば、主人公が思っていた人とようやくキスをしようとしたら、とんでもない事件が起きたり、ジャマが入る。すると思わぬおもしろさが生み出せることがあります。

　この場合は、事前に伏線を張っていないこともありますが、それが気になるならば、直しの際に加えればいい。

　あるいは、前のほうの描写であったり、事件を掘り起こして、それをここに活かすという手法もあり得るでしょう。**壁にぶつかったら「ハプニング展開を入れられるチャンスが来た」**と思えば、突破できるかもしれません。

第4章　プロ仕様　創作のプロセス完全攻略講座

レッスン11　小説の文章とするための描写法

プロット文は小説の文章ではない

　第2章でシナリオと小説との違いに関連して、〝**小説は文章による描写**〟だと述べました。基本的に小説は、地の文とセリフのみで書かれます。

　小説を書く際には、一人称か、三人称で書くかという選択があって、この違いも第2章や、第3章の『公募ガイド』誌の連載再録の中でも述べました。

　小説の描写法や人称選択について詳しく述べると、さらに入門書が一冊分くらいになりそうです。ここでは簡単に触れるだけにとどめます。

　ところで、シナリオをずっと書いていた人が小説を書こうとして、一番ネックになるのがここの部分、すなわち小説の文章にならない、**小説の文章が書けない**ということでしょう。

　述べてきたように、シナリオは設計図の役割がありますので、脚本家は体質として簡潔で短いト書が身に付いていきます。さらに脚本家はシナリオを書く前に、企画を通すためにプロットを書いて、それを元にプロデューサーと協議を重ねます。

　映画や二時間ドラマ、連ドラなどの企画書では、時にA４で十数枚（４００字に換算すると、３～50枚）に及ぶプロットを書く場合もあります。それほど書き込んだとしても、プロットは、詳し目のあらすじであって、小説の文章ではありません。このあらすじ文体が抜けないままで小説にしても、ストーリーを展開させるだけの無味乾燥な文章になりがち。

　これを脱却して、小説としての描写ができるかが、小説家になれるかの境目だったりします。

　脚本家、あるいは脚本家志望者だった人に限らず、いきなり小説を書こうとされる初心者にも、**いわゆるプロット文体**

の人が少なからずいます。例えば、こういう文章です。

> 満木恭介は渋谷駅のバスターミナルにいた。列に並ぶ。
> 「あ、そうだ、こっちじゃなかった」
> 恭介はひとりごちると、ウロウロして別のバス停の列に並ぶ。
> 恭介は製薬会社の研究員で二十八歳になる。独身で彼女もいない。
> 恭介を離れた所から見ている女。気づいていない恭介。すごい美人だ。
> 恭介、ようやく来たバスに乗ると、後ろの席に座った。女もバスに乗ってきた。恭介の近くで立ったまま。

こんな感じでダラダラと記述が続く。小説の文章になっていませんね。これほどではないとしても、似たり寄ったりの没個性、無味乾燥な文体では、読者は放り投げてしまうでしょう。

小説の文章とするためにはどうすればいいか？　これはもう本人がひたすら読んで、書いてといった文章修業を積むしかありません。精神論だと、終わってしまいますので、小説の文章とするためのポイントです。

描写で映像をイメージさせる

小説の地の文には「説明」と「描写」の二つの役割があります。読み手は小説の世界に足を踏み入れると、無意識にその世界の情報をつかもうとします。まず、いわゆる５Ｗ１Ｈがあります。

When（いつ）
Where（どこで）
Who（誰が）
What（何を）
Why（なぜ）
How（どのように）

よく、新聞の記事などを書く際に、読者にきちんと伝えるべき6つの事柄とされています。小説と記事は違いますが、読者を念頭に置くということに関しては同じです。また、小説の場合、これらを最初から全部明らかにしなくてはいけないわけではありません。

ですが、読者は小説を読みながら、いつの頃のどこで展開する話なのか？　登場人物（特に主人公）は誰で、どういう人物で、何をしようとするのか？　どういう方向へと向かうのか？　といったことを知ろうとします。

例としたプロット的な書き方ですと、主人公が恭介で、渋谷からバスに乗ろうとしていて、といった「説明」はされていますが、小説としてはつまらない。

小説にするためには「描写」が欠かせないわけです。ですが描写ばかりが続いていても、読者は退屈する恐れがあります。描写によって読者に映像をイメージさせつつ、情報もいつの間にか伝えている。さらにはストーリーも進行しているのが理想です。

小説の「描写」には大きく3つ、

◎情景描写
◎人物描写
◎心理描写

があります。小説は文章がカメラの役割を果たしますので、その場面でどういう風景、情景が展開されているのか？　そこにいる人物、あるいは現れた人物はどういう姿をしていて、どういう人物なのか？　さらにはその人物は何を考えていたり、思ったりしているのか？

これらをいかにも「説明」ではなく、でも多少の説明を加えながらも、「描写」によって表現するのです。

この描写と関わるのが、誰の視点で描くのかという人称です。例としている『**バス・ストップ闘争（ラブ）**』も、一人称で恭介の〝俺〟で描いていくのか、〝恭介は〟といった三人称なのかで違ってくる。

この人称のメリット、デメリットも追求するとキリがありませんので、いずれの機会に。ともあれ、前記のプロット文体を、恭介の三人称で描写を加えながら書いてみます。

> その日の午後、満木恭介は渋谷駅のバスターミナルに立っていた。九月を過ぎたのに猛暑が居座っていて、恭介のワイシャツの汗染みは消えそうにもない。しかも、今日はめったに締めないネクタイ姿で、緩めたところで何の役にも立たない。
>
> 渋谷のバス停はどうしていつもこう人が並んでいるのか……。

> 「ありゃ、こっちじゃなかった」
>
> 行き先が違った。恭介は背広のポケットからメモを取り出して、バス停を探した。先ほどまで続いたミーティングがぐだぐだで、頭まで濁ってしまったようだ。
>
> メモには「砧5丁目、遠山浩二」と書かれている。遠山は今回の新薬データを分析した大学の先生だ。遠山先生に、今後の方針について指示してもらうことになっていた。なにしろ、会社の運命さえ左右しかねない新薬開発だ。念には念を、というのが大沢課長の命令だった。
>
> バスの行き先を探して立ち止まったら、後ろを歩いていた人がぶつかった。
>
> 「あ、すいません」
>
> と振り返ったと同時に、暑気を払

うような澄んだ香りが鼻先をかすめた。

——お、いい女……。

恭介の瞬時の思いが聞こえたみたいに、女はそよ風のような微笑みで返して、すり抜けて行った。

このくらいにしますが、小説の文章とするのはやはりそれなりに大変です。

よしあしはともかくとして、とりあえず描写の三つを入れながら、さりげなく説明として、主人公の情報なども伝えていることがお分かりいただけるでしょうか？

5W1Hのうちでは、現代、それも九月の昼間の渋谷で、主人公の名前と性別、どうやら薬に関する仕事をしている。が、いつもはネクタイをしない役職で、まだ下っ端らしい……といったことなどは分かります。ですが、主人公恭介の年齢であったり、容姿や性格などは、なんとなく察せられるだけで、まだきちんと伝えられていません。

そうしたことは、（いつまでも見えてこない、分からないままでは困りますが）おいおい伝えていけばいい。

視点の問題でいうと、三人称の場合であっても、基本は「**三人称一視点**」です。恭介の見た目で情景を描き、感覚で書いていく。最初のプロット文体の例では、恭介の視点のようでありながら、〝恭介を離れた所から見ている女。気づいていない恭介。すごい美人だ。〟という文章は恭介の視点からずれて、作者の（神的な）視点が混じってしまっています。

直した例文でいうと、恭介がぶつかって〝いい女〟と思った後に、

女は夏緒といって実は恭介の持っているデータを狙っていたのだ。女は、

——なんてバカ面、今度の仕事は簡単そうだわ。

と思っていたが恭介は知らない。

というような文章が入ると、視点の混在とされてしまいます。

こうした書き方が絶対にダメ、ということではありませんが、現在の日本の小説界（特にコンクールなど）では、マイナス点がつけられます。

ともあれ、書き直した文章ですと、どこが情景描写、人物描写、さらには心理描写か分かるはずです。

「五感」と「細部」が描写の決め手

さて、特に凝る必要はないのですが、例えば季節が夏であることを表現するのに、〝夏だった。〟とか、あるいは〝九

月だがまだ暑かった。〟と表現するのは、間違いではありませんが、小説の情景描写としてはものたりません。

だからと言って追求しすぎないこと。例えば、村上春樹ばりの比喩表現とかをまねしようとすると失敗します。手っ取り早い「描写」のコツは、

・一段落の中に、「五感」と「細部」のどちらかを入れる
・それもなるべく「具体的」に書く

ただし、あまり過剰にセンテンスの中に入れるとうるさくなりますので、適宜で構いません。

例だと涼介の汗染みが、といった具体的な表現で、うっとおしい残暑感が伝わりますし、誰かとぶつかったという描写で、〝暑気を払うような澄んだ香りが鼻先をかすめた。〟と表現することで、人物の嗅覚によって、この女がかなりの美人、いい女だということが、恭介の感想と共に伝わります。

五感はいわずもがな、視覚、聴覚、嗅覚、触覚、味覚です。これを視点者の感覚として描くことで、読者はイメージしやすくなります。さらにここにない第六感というのもありますが、これはいわば心理描写にもなります。

かつ「細部」（ディテール）を描くということを心がけると、具体的に動きが見える描写として書くことへとつながります。暑いというのを、ただ暑いではなく、「だらだらと流れる汗」や、「お日様がアスファルトをどろりと溶かすほどに」、と書くことで、映像としても見えてきます。そういうディテールを一行だけでも書くとリアルになるわけです。

もちろん、「文は人なり」という言葉がありますが、書く人によって個性がありますし、一概に「こう書けばいい」と言えません。その人なりの書き方、文体を見つけていくしかない。

ともあれ、自分の文章力に自信がないという方は、訓練をするしかありません。訓練というと大変そうですが、要は文を書く時に、「どう書くと、きちんと（読み手に）伝わるだろうか？」と意識しながら、書くことです。

かつ、一番実践的な方法は、好きな作家の小説を読む。それも「どのように表現しているのか？」と盗むつもりで読む。できれば、いいなと思った文章を書き写すのです。

じっくりと意識しながら書いていれば、文章力は確実に上達します。意識せずにダラダラ書いているだけだと、いつまで経っても小説の文章として通用するレベルに達しません。

レッスン12 小説的なセリフの書き方

セリフに頼り過ぎないこと

「セリフ」についても、第2章で簡単に触れました。シナリオはあまり長いセリフは書きません。

前提として、文章によって書かれたセリフを読むのと、俳優が喋るセリフを聴くのとでは、認知性で差ができるからです。

書き言葉は読者のスピードで読むことができますし、戻って何度でも読めますが、シナリオは一方的に聞かされることを前提に書きますので、できるだけ簡潔に、一度聞いて内容が分かるようなセリフが求められるわけです。

小説では人物によるセリフは、時には数ページにまで及ぶこともあります。例えば、湊かなえさんデビュー作の『**告白**』は短編連作ですが、その第一話は「小説推理」新人賞を受賞した『**聖職者**』。

この短編小説は、80枚弱、全編が教室でのホームルームで、教師が生徒に語りかけているセリフ、という特殊な手法が使われています。

湊さんは「シナリオでは絶対にできない手法」をあえて小説で書いてみたと述べています。

もちろん、だからといって、小説のセリフは思うまま書いていいということではありません。『聖職者』を読むと、一方的な話し言葉でありながら、丹念に練り込まれた文章であることが分かります。

また、セリフが便利だからといって、人物同士による会話ばかりがダラダラと続く小説も感心しません。小説は地の文による描写によって場面を読者にイメージさせ、人物たちのイキイキとしたセリフで、心象や物語に必要な情報を伝えるようにすべきです。

セリフの機能と心得

ところでシナリオで「セリフ」を書く際の心得え、役割があります。小説でも通用します。まず「**セリフの機能**」は次の三つ。

1　事実を知らせる
2　人物の心理、感情を表す
3　ストーリーを展開させる

私小説など純文学系では、「事実を知らせるわけでもなく」「心理とは違っていて」「物語と関係のない」会話やセリフがあって、それが作品の雰囲気、カラーとなっていることもあります。

それは作者が意図して書いている場合でしょう。エンタメ系でも遊びとしてそうした場面があってもいいのですが、やはり、物語のセリフとしてこうした機能は心がけるべきです。

もうひとつ、**セリフを書く時の三つのポイント**があります。

A　人間がしゃべっているようでありながら、同じではない
B　いかにも説明ゼリフとしない
C　その人物らしいセリフとする

小説は文章表現ですので、つい文章的なセリフを書いてしまったりする。地の文でならよくても、人、それも性格付けをしたその人物ならではのセリフにすべきなのです。

> 「昨日は渋谷で、午後2時頃に、記録的なゲリラ豪雨が襲来したじゃない。だからバスも時刻表通りに来なかったのよ」

とバスの乗客が話していたとして、情報としては伝わりますが、話し言葉としては変で、これがいかにも説明ゼリフになってしまっているわけです。

また、われわれが日常的にしている会話を文字に起こすと、あっちへ行ったりつながっていなかったりします。それをそのまま書いたのでは物語のセリフではなくなってしまいます。

いかにも日常会話のようでありながら、必要な情報（事実）を伝えたり、その人物の感情を表していたり、物語に関わりがなくてはいけない。例えば、

> 「昨日は大変だったのよ。ゲリラ豪雨っていうの？　2時頃だったかな。渋谷も土砂降り。バスが来なくて、ずっと待たされたのよ」

というように。

そのセリフは誰がしゃべっている？

もうひとつ小説のセリフを書く際に気をつけたいのは、誰のセリフかが分かるように書かれているか？

シナリオはセリフに人物指定をしますのでいいのですが、会話が続いている小説を読んでいて、誰のセリフかが途中から分からない場合があります。二人の交互の会話でも、ダラダラと続いていたりすると、途中からどっちのセリフか分からなくなってしまう。さらには複数だと、もっと混乱します。例えば、

「その意見は間違っているよ」

「どこが間違っている？　教えろよ」

「全部だ」

「ちゃんと聞いてないからだろ」

「聞いていたさ」


「もう、やめろ。お前らはいつもそうだ」

「お前は口をはさむな」

「それでまたゴチャゴチャになるんだ」

「部外者は黙っていてほしいもんだ」

「お前だって、そもそも部外者だ」

「なんだと、じゃあ最初から言うな」

「俺は部外者なのか？」


このやりとりは、会話をしているのは3人の男らしい（でも、女性が入っているとしても不思議ではない）と分かりますが、途中から誰のセリフなのかが分かりません。

そこで小説では、地の文で誰のセリフかを指定したりします。でも、

「その意見は間違っているよ」

と高橋は鈴木に言った。すると鈴木は、

「どこが間違っている？　教えろよ」

と怒鳴った。

「全部だよ」

と高橋がいうので、

「ちゃんと聞いていないからだ」

と鈴木が吐き捨てた。

「聞いていたさ」

高橋が言うので、黙って聞いていた佐藤が止めにはいった。

「もう、やめろ。お前らはいつもそうだ」

「お前は口をはさむな」

鈴木が佐藤に言うと、

「それでまたゴチャゴチャになるんだ」

と高橋が同調する。ところが鈴木

は、

「お前だって、そもそも部外者だ」

なんて言うものだから高橋は、

「なんだと、じゃあ最初から言うな」

と怒り出す。

「俺は部外者なのか」

割って入った佐藤が落ち込んでしまった。


というように書くしかなくなるのですが、こんなやりとりを読まされる読者が迷惑ですね。

区別するやり方としては、その人なりの口調や方言、性別で分からせるという方法もあります。


「その意見は間違っているよ」

「高橋さんはいつもそう。どこが間違っているの？　教えてよ」

「全部だ」

「私の言うこと、ちゃんと聞いてないからでしょ」

「聞いていたさ」

「もう、やめてえな。あんたらいっつもそうやで」

「お前は口をはさむな」

「そうよ、佐藤さんが入ると、またゴチャゴチャになるんだから」

「部外者は黙っていてほしいもんだ」

「あなただって、そもそも部外者でしょ」

「なんだと、じゃあ最初から言うな」

「わては部外者なんや？」


とすると、なんとなく分かってきますね。でも、これもあまり続くと苦しくなるので、途中で適宜、〝高橋と鈴木の間が険悪になりそうで、佐藤が割って入った。〟とか、〝そう言って高橋は鼻で笑った。鈴木は眉間に怒りを滲ませた。〟というような描写を所々に入れていく。

またセリフの中に「……」「!」「?」「!!」「!?」といった記号を使っても構いませんが、あまり多用しすぎると効果が薄れます。

描写と合わせるとセリフは活きる

次の引用をお読み下さい。


そこへ、稔がお茶を運んできた。鞠子が訊いた。「こちらは、岩永さんの……」

「たった一人の不出来な孫です」稔がふくれた。「不出来は余計だよ。僕、岩永稔です。どうぞ」

如才ない手つきで湯呑みを差し出す。鞠子は礼を言って受け取り、

「高校生？」

「はい。四月に入学したばかりですけど」

鞠子は、稔の頭の帽子を不思議そうにながめた。「どうして後ろ前にかぶっているの？」

「店のなかだと、ひさしが邪魔なんです」

「じゃ、どうしてお店のなかで被っているの？」

「埃やダニがくっつきそうだから」

「そんなに不潔にしとらんぞ」

「だから、くっつきそうな気がするって言ってるじゃないの」と、稔はすまして言う。

「それに僕、野球部員ですから」

「あら、素敵」と、鞠子が微笑む。

「ポジションは？」

「レフトで、五番」

「おまえ、塁審じゃなかったのか？サードのすぐうしろにいるのは塁審じゃなかったかね」

「しょうがないじゃん、校庭が狭いんだもの」


これは宮部みゆき『**淋しい狩人**』の第一話「**六月は名ばかりの月**」の、冒頭早々の一場面です。

イワさんこと岩永がやっている古本屋と、手伝っている孫の稔。そこに客の鞠子がやって来る。三人の会話でありながら、誰のセリフかが自然に分かりますし、情報も伝えられています。いわゆる地の文の描写を巧みに組み合わせている点も読みとって下さい。

読者に疑問を抱かせたり、立ち止まらさずにスラスラ読ませて、必要なことをきちんと伝えていく。これぞプロ作家の小説表現とセリフ術です。

小説にも磨かれたセリフを

ついでですが、宮部みゆきさんは小説のセリフもバツグンにうまい作家です。脚本を書いている私も、時々唸ってしまうほどで、読むたびに書き写したりしています。

例えば初期短編の『**返事はいらない**』。主人公の千賀子は、恋人から別れを告げられ、絶望のあまりマンションの屋上へと向かう。そこで望遠鏡で星を見ていた住民の森永夫妻と出会う。


「そんな薄着でここにあがってきたということは」

森永久子は、広い額にかすかにしわを寄せて、千賀子をみつめた。

「エレベーターも階段も使わないで下へ降りようって魂胆でしょ。違う?」

千賀子は返事ができないまま、つっ立っていた。十階建てのマンションの屋上には、刃物のように冷たい風が吹いていた。

「フェンス、乗り越えてきたの?」

久子に問われて、千賀子は反射的にこっくりした。宗一は望遠鏡を手にしたまま、穏やかな表情で二人をながめている。

「あのね、自殺もいいけどね。そりゃ悲劇的で美しいけどさ」

久子は男のように首筋をぽりぽりかいた。

「遅刻した小学生みたいにフェンス乗り越えてさ。それはかっこ悪いと思わなかった? よじのぼってるとき、むなしくなかった? ひらひらしたきれいなスカートをはいてさ。言っとくけど、あんたの死体を発見した人たちは、あんたがパンツ丸出しでフェンスをのぼってるとこまで想像するよ(以下略)」


「エレベーターも階段も使わないで、下に降りようって魂胆でしょ。違う?」

というセリフ!

この後の千賀子と森永夫妻とのやりとりを経て、千賀子はごく自然に自殺を思いとどまります。

初心者が書いてくるシナリオや小説で、ビルの屋上から飛び降りようとしている誰かがいて、遭遇した誰かがとめようとして、という設定には、それこそ掃いて捨てるほど遭遇します。けれども、この宮部さんの小説ほどに、秀逸なセリフ(キャラクターにも)の作品には一度も出会ったことがありません。

シナリオの実習では、書いた作者本人に朗読をさせます。セリフは特にこの作業が重要になります。音にすることで、活きた人間の違和感のないセリフになっているか? 説明ゼリフになっていないかが分かります。小説でもぜひやってみてほしい。

小説におけるセリフの役割、重要さ、どう書くとよいか、お分かりでしょうか? けっして安易に書き飛ばさないで下さい。

レッスン13 小説推敲のチェックポイント

脚本は「直し」作業が欠かせない

創作の過程は121頁の大まかな流れを踏みます。

「ネタ」
↓
「アイデア」
↓
「アウトライン」
↓
「ストーリー」
↓
「作品化」

こうした過程で書いていき、ゴールを目指します。

もうひとつ、この途中で、さらには書き上げた後で**「推敲」**という重要な作業があります。アイデアやアウトライン化、ストーリーとして作りながらも、「これでいいのか?」「ほかにもっといい展開がないか?」「この書き方でいいか?」といった「直し」をしながら進んでいく。

ところで、私は脚本も小説も書きますが、**「直し」**の作業は圧倒的に脚本のほうが多い。ひとつの作品を完成させるまでの労力や占められる時間やエネルギーが10だとすると、「これでOKです。撮影に入ります」という決定稿になるまで、おそらく5以上、多い時には7～8までが「直し」といっていい。

述べたように脚本は映像化されてようやく完成しますので、関わる人間なども多い。商品（あるいは芸術作品）として利益を生むことが求められますので、それは仕方がないともいえます。いわばチームプレイで、重要なプランを立てる役割でしょうか。

企画案があって、まずプロットにして

そこでプロデューサーや監督などと、ミーティングを重ねていく。脚本家はその話し合いを経て、シナリオを書く前のプロットであったりハコ書きの段階で何度も直しをします。

ある程度、方向性だったり、狙い、ストーリー展開が見えてきて、全員の思いが一致した段階でGOサインが出されて、脚本家はシナリオを書いていきます。

もちろん、実績のある脚本家だったりすると、簡単なプロットだけだったり、ごくごく稀にいきなり初稿シナリオが書かれて、そこから映像化へ進むということもあります。

それは本当に稀なケースです。私などはさほどの実績ではないので、まずプロット段階での直しを経て（10パターンくらい書く場合も珍しくない）、シナリオ化するのですが、このシナリオも初稿でOKということはありません。

5～7、8稿というのは当たり前で、20稿を重ねるといったこともあります。シナリオの場合は、内容うんぬん以上に、製作費の問題であったり、キャストやスケジュールの都合といった現実的な要因が加わってくることもあって、直しの占める割合が増えるわけです。

つまり、この「直し」という作業に耐えられないと、脚本家にはなれないと言っていい。ですが、シナリオはこの「直し」を重ねないと、よくならないというのも事実です。

小説は編集者との二人三脚

さて小説ですが、「直し」が占める割合としては（あくまでも私の実感とすると）1～3割程度でしょうか。小説は脚本にくらべると個人的な作業が多くを占めます。もちろん、編集者や出版社の意向、方針などもあって、それらが企画やプロットの段階に反映されたり、作品が書き上がってから、直しを指示されることもあります。

作家によっては、優れたアドバイスやアイデアをくれる編集者によって、売れる作品が書けたという人がたくさんいます。編集者は作家にとって「内助の功」を発揮してくれる女房のような存在なのです。

それはともかくとして、小説家が小説を書く際の直しは、作家自身の意向なり冷静な分析がより必要となります。作者次第という面が増えるのです。

割合として「直し」が少ないからといって、小説のほうが楽という意味ではありません。創作という点では、どちらも簡単ではなく、どちらにも違った種類の大変さはあります。

さて、ここまで「直し」という用語を使いましたが、創作には前述した「推敲」という言葉もあります。意味としてはほぼ同じですが、ニュアンスの違いがあるとすると、「**直し**」といった場合は、それなりに出来上がったものを、さらにブラッシュアップする作業をいう。

「**推敲**」はハコ書きの段階とかで、「どちらの展開がいいだろうか?」とあれこれ考えたり、書いている途中で、「もっと違う方向はないか?」「どう書くと、よりよくなるだろうか?」と考えるほうで使います。

ともあれ、プロットの段階であろうと、書き上がったものであろうと、書きっぱなしにせずに、推敲、直しをしましょう。特に新人賞などコンクールに応募しようとする作品には、提出する前にプリントアウトして、読み直しをします。プリントアウトしたほうがいいのは、より客観的、冷静に眺められるから。

推敲、チェック、直しのポイントです。

[図16]

◎**文章上の問題点**
・誤字脱字のチェック(パソコン頼りにせずに、辞書で確認をする)
・読んでいて意味の通らないところ、文章が流れていないところがないか?
・表記(人物の名前や地名、固有名詞など)が一貫しているか?

◎**記述、ディテールの事実確認**
・書かれていることに間違いがないか?

◎**人物像**
・登場人物(性格や動機、セリフなど)が一貫しているか?
・視点のぶれがないか?

◎**描写と説明**
・「説明」ばかりになっていないか?
・逆に「描写」ばかりが細かすぎないか?

◎**ストーリー**
・つじつまが合っているか?
・もっとおもしろい展開がないか?
・無駄なシーンや人物が出てきていないか?

リアリティのために「取材」をする

改めて解説することもないでしょうが、補足しておくなら、二番目の「事実確認」について。

例えば時代物であったり、専門的な世界を描いている場合に、時代考証であったり、専門性があまりにいい加減だと、小説の世界自体が嘘になってしまいます。つまりリアリティがないと認定された時点で、どんなにアイデアが奇想天外で優れていても、マイナス点とされてしまいます。

創作の流れの過程に「**取材・資料調べ**」というのがありますが、取材というのは、どこかに出かけていって、誰かの話を聞いたりすることだけを指すのではありません。「取材」の第一歩は、きちんと調べることから始まります。

ネットでまず調べたり(それだけです

ませるのは危険です)、信頼できる資料や文献に当たる。下調べをした上で、現地に出かけたり、関係者の話を聞いたりします。

取材や資料調べの過程で、新しいネタを発見したり、裏付けとなる知識を得たりすることができますし、それを踏まえることで、作品、記述にリアリティを与えられるのです。

ともかく、取材、資料にあたって、裏付けをしっかりとってから書くのは、作家の最低限の姿勢、責任でもあります。

プロ作家となると、編集者がチェックしてくれることもありますが、それでも書き手が率先してやらなくては、作品を書き進めないはずです。ましてやアマチュアは、こうした作業はすべて自分でやらなくていけません。プロとなった書き手は誰でもがそうした過程を経て、ようやく認められています。

ともあれ、プロの作家でも自作を客観的に眺めるのは容易ではありませんし、チェックをしたと思っても、間違いを書いていることも少なくありません。経験を積むことで補えるのですが。

一番有効なのは、信頼できる他人に読んでもらって、忌憚のない意見をもらうことです。その際に**どれだけ「聞く耳」をもてるか**。この謙虚さの有無は、書き手の伸びる可能性と比例します。

誰でも苦労して書き上げた作品を、あれこれと言われるのは不快です。けれどもあなたの作品が世に出れば、読者はすべて他人なのです。どんなことを言われても、たとえそれが納得のいかない意見であっても、そこから自作を見直すことができれば、確実に一歩前に進むことができます。

「推敲底なし沼」にはまるな

もうひとつ、推敲、直しは大事なのですが、**「推敲底なし沼」状態に陥らないこと**。パソコンで書くようになると、誰でも経験があるはずです。

作品を書き始めて、毎日少しずつ書き足していく。続きを書くにあたり、導入部から昨日書いたところまで読み直すのですが、そのとき原稿につい手を入れてしまいます。

それは必要な過程なのですが、その直しに力を注いでしまって、前に進まず、いつしか書きかけのまま止まってしまう。そうした導入部だけの書きかけ小説がたくさんあって、ファイルに残されてしまって……。

これが「推敲底なし沼」です。こうなってしまうと、直し、推敲があだになってしまいます。推敲も大事なのですが、一番目指すことは、作品を書き上げることです。

書き手のタイプでも違ってきますが、底なし沼状態としないためには、書く前の「構想」段階で、ある程度のプロットを作っておくことです。「見切り発車」で書きながら考えて行く人は、途中で止まってしまうとそのままになってしまう確率が高い。ともあれ、途中で止まりそうになったら、プロットに従って前に進むしかありません。

また、「見せ場」はしっかりと描写をしろと書きましたが、この「描写」ができずに止まってしまう場合もあるでしょう。その場合は、ひとまず簡単に処理して、ストーリーを前に進める。

ラストまで書けたらしめたもの。とりあえず時間を置いて、寝かせた上で、プリントアウトして読み直します。

冷静に、客観的になれると思ったのなら、チェックポイントに従って、推敲をします。その段階で、もっと描写をすべきだと思うなら、その場面を書き直すのです。逆にいらないところがあったら、思い切って削る。

プロットを練り込んでいなくて、途中でストップしてしまったらどうするか？その場合は、そのシーン、局面からとにかく先の場面に飛ばしてみるしかありません。ひとまず違う局面、場面を書いて見て、ゴールを目指します。

飛ばしたところが繋がっていなければ、方法を考えてみましょう。必ず突破口は見つかります。誰かに読んでもらってアドバイスをもらえれば、思わぬおもしろさが発見できることもあります。

一番大切なことは、最後まで仕上げることです。プロになると、どうしても納得がいかなくて、思い切って捨てるという書き手もいます。アマチュアがまず目指すのは、できるだけ踏ん張ってゴールまで駆け抜けること。

残念ながら作品の出来が悪くても（初心者の場合はそっちのほうが圧倒的に多いでしょう）、嘆く必要はありません。作品を書き上げたことで、確実にあなたは一歩前に進んでいるから。途中で放り投げ続けている人は、ずっと同じステップで止まっているのですが、**書き上げた人は階段を間違いなく一段上っている**のです。

完走するために短編から入る

ともかく、書き始めたら最後まで書く。最後まで書く絶対的な秘訣というのはないのですが、**まったくの初心者はまずはショートショート、短編から書くことをオススメします。**

短編と長編では当然ながら違います。日本では短編はなかなか評価されずに、長編でなくては売れないという傾向もあります。ですので、最初から長編を書こうとするのも間違いではありません。

ですが、長編に取り組むには、それなりの準備、構想が必要です。軽い気持ちで書き始めて、書けなくなって途中で放り投げるのでは、その癖が抜けなくなります。

私は『公募ガイド』誌で、時代・歴史小説とミステリーの添削、講評を受け持っています。短編と長編の割合は、四・六くらいで長編が多いのですが、やはり長編小説を読むのは大変です。

当然、書く側はもっと大変ですし、500枚とかの長編となると、一年以上あるいはもっと時間をかけて書いていらっしゃることが伺えます。

そこまでエネルギーと時間を費やして書かれる方の歴史、時代小説の場合は、考証的な面での間違いなどはほとんどありません。多くの方は、丹念に資料を掘り起こし、調べた上で書かれています。それよりも、問題は小説としての完成度です。

残念ながらコンクールで最終に残れない、賞に手の届かない作品に共通するのは、ここで高得点が得られないケースがほとんどかと思います。

そうした方の数百枚分のエネルギーの結晶を読み終わって、まず思ってしまうのは「もったいない」。それだけの枚数を書き上げた方に、そう思うのは前述したことと矛盾しているというのは承知した上で、それが正直な感想です。

そういう方に申し上げたいアドバイスも、まずはショートショートや短編からスタートし、訓練することです。

質を上げるには量をこなすしかない

当然ながら、最後まで書き上げる癖をつけるなら短編のほうが楽です。34ページで、私が講師をしているシナリオ・センターの学習方法をご紹介しました。

基礎講座ではまず数枚の短い習作からスタートして、ゼミに入ってもらって、そこで課題にそって短いペラ20枚シナリオを書いてもらう。

一定の間（特に修業期間）、**ひたすらデッサン的に短い習作を書く**ことで、シナリオのリズム、映像表現の手法、おもしろくするテクニックなどを身につけてもらう。そこから「これだ！」という題材なり、テーマを見つけたら、一時間、二時間を想定したシナリオとして書き上げて、コンクールに応募する。

結果的にそのシステムが実績を上げています。今活躍している多くのプロ脚本家も、このレッスン法の経験者です。

まずはしっかりした短編を書き上げて、文章であったり、展開のさせ方を身につけるのです。通用する作家としての質を身につけるには、量をこなすしかありません。

そこから長編へと向かう。もちろん、人によって短編が向く人と、長編で能力が発揮される人がいます。それにしても、小説としての質、読者を心地よく読ませる文章力、表現力、おもしろく展開させるエンターテインメントの技を磨くことは不可欠です。

もうひとつ、最後まで書き上げる秘訣は（すでに述べていますが）「**〆切**」です。アマチュアはこれが緩いので、つい後回しにしてしまい、結果、途中放棄が増えるのです。

「この日までに出さないといけない」となると、なんとしてもやりとげるものです。ですので、目標とするコンクールを決めて、できるだけ「有言実行」しましょう。仲間や友人に公言して自分を追い込むのです。

自分のテイスト、作風に合ったコンクールをピックアップして、その〆切日をにらんで「構想」と「執筆」、さらには「推敲」のプランを立てて、なんとしても仕上げて応募しましょう。

その結果を待つのではなく、投稿したら次の作品に取りかかりましょう。もし結果がともなわずに落選となったとしても、そのままですまさないこと。冷静な目で読み返します。受賞作もじっくりと読んだ上で、**自作に足りなかったところは何かが見つけられるか？**

見つけられる人だけが、さらに階段を一歩上れます。

長編はもちろん、短編であっても途中で必ず壁に当たり苦しくなります。創作は歓びであると同時に、孤独で苦しいものです。苦しさがあるからこそ、書き上げた歓びが得られるのです。

さらには自作が活字になる歓び、本となって本屋さんの書棚に並ぶ歓びは計り知れません。

その歓びを得るには、書くしかないのです。

さあ、書きましょう！

改訂版　特別講義　具体的に指導します

創作のために絶対必要な〝盗む〟読書術

コロナ禍後の〝創作熱〟は本物か

不思議な現象が起きています。

というより、すでに数年前からこの現象は見られていたのですが、２０２０年から世界を覆いつくしたコロナ禍で、いっそう顕著になった気がします。

その現象を名付けると、**「創作（クリエイティブ）熱」**です。人々が何かを創りたいと思い、それを具現化、つまり実際に取り組み始めたのです。

もちろん、コロナで失業したとか、生きる術を模索していてそれどころではない、という人も増えているでしょう。そうしたより切羽詰まった人たちには無縁かもしれませんが。

ともあれ、私はシナリオ・センター講師でもあるので、この「創作熱」は書くこと、小説や脚本でモノになりたい、自分の作品を世に出したい、と望む方々の熱量増加として感じています。

とはいっても、講義はほぼネットを介してのリモートになったりしましたが、この新しいシステムが導入されたことで、地方や海外からの受講生を取り込み、コロナ以前よりも１・５倍くらいは増え続けています。

シナリオ・センターは脚本の書き方を教えるのですが、以前よりも増えているのが、小説を書きたい、あるいはゲームやアニメシナリオ、その延長上だったりするラノベ作家志望者たちです。

コロナで自宅に籠もる時間が増えたこともあるでしょう。それだけでなく、希望が見いだしにくい不安な時代に置かれて、眠っていた「創作熱」がむくむくと頭をもたげてきたに違いありません。

こんな時代だからこそ、改めて人間に必要なものが芸術や娯楽なのだと認識させられました。

コロナは厄災には違いありませんが、副産物として新たなクリエイティブ誕生の種を撒いているといえそうです。

敷居が低くなったがゆえのマイナス側面

もうひとつ、**ネットの日常化**も「創作熱」増加の大きな要因になっています。ネットを使いこなすことで、書くことのハードルが低くなりました。

誰もがブログやSNSで文章や動画をのせる。それを見知らぬ人が見てくれて反応があったりする。そこからエッセイや小説、脚本といったフィクションもと拡がってきました。

これはもちろん大きなメリット、つまり〝是〟には違いないのですが、反面〝非〟も見えてきてしまった。

こうした下げられたハードルゆえに、簡単に文章を駆使して、自分の世界を築けてしまう人（あえて突出者という）が現れたのも事実ですが、絶対数としての志望者（あえて裾野層）が倍増したために、そうは簡単には突出者になれなくなっている。

電車内で日常の風景となっているのは、スマホの画面を見つめる人たちです。10人中文庫本とかを広げている人は一人いるかいないか。

そう、コロナ以前より見られている現象というのは、書きたいという志望者は増えているのに、**本を読んでいる人が激減していること**。

読者も紙媒体ではなくネットに移行している、ということもあるでしょうが、それにしても、本を出しても売れない現実に直面している私も焦るばかり。

さて、そうした時勢と平行して、作家志望者の作品（習作）を読んでいて感じることがあって、それは小説ならば「**本を読んでいない**」で、シナリオならば「**映画やドラマを観ていない**」。これこそ**がネット時代に顕著となった〝非〟の部分**です。

『卒業』を観ていないと脚本家にはなれません

小説家志望者の習作を読むと、**その人の読書量なり質がただちに分かります。**脚本家志望者もしかり。

以前小説家志望者から「どうして小説を読まなくてはいけないのですか？」という質問（自分は読んでいないけど、という開き直りが込められていた）を受けました。

「ピアニストになろうとする人なら、毎日ピアノのレッスンをするだけでなく、名ピアニストたちの演奏するショパンとかモーツァルトのCDを何度も聴くはず。どの分野でも同じです」と答えました。

譜面の読み方とか演奏のやり方を独学で磨いたとして、ピアニストにはなれませんね。同じピアノソナタであっても、ホロヴィッツなら、アシュケナージなら、あるいはフジ子ヘミングなら、と聴き比べることで、どのように曲を捉えているのか、どうテクニックを発揮しているのか、どこがうまくて、観客を感動させているのか？　さらにはこの人たちにあって、自分に足りないところは何か？

シナリオの基礎講座で「**断言しますが、『卒業』を観ていないと脚本家にはなれませんよ**」と述べます。結構、観てないという人が多いから。

ひとつには、何らかのきっかけで脚本家として仕事をするようになったとして、プロデューサーや監督らとミーティングをします。ああだこうだと内容であったり、設定やシーンについてのアイデア出しをするのですが、その際に例えば「『卒業』で、エレインに去られちゃった男はあの後どうしただろうね」とか「『ゴッドファーザー』のレストランのシーンでさあ」みたいな話になる。その際に「観てないんですけど……」と言ったとしたら、会議室の空気が一気に冷凍庫になります。

それは笑い話としても、名作とされる古典は修業時代にこそできるだけ触れておくべきです。それが素養、引き出しとなるから。そして**この蓄積の有無が、プロの作家になれるか否かのひとつの基準**になったりします。

大先輩たちのアドバイス

「小説家になりたいなら本を読め！」と小説家志望者に対して多くの作家が述べています。

ネットで公開されていたのですが、**石田衣良さん**が小説家志望者に特別講座を行なっていて、その中で「**書きたいジャンルの小説を1000冊読みなさい**」と述べていました。

一日3冊ずつ読めば一年で達成、あるいは一日1冊だとしても3年かかります。もろもろ忙しい現代人には、とても不可能でしょう。

実際にやれ、というよりも、小説の書き手になりたいなら、そのくらいの心意気で臨め、あるいはそれほどの素養が前提として必要なのだ、という意味かもしれません。

あるいは、シナリオ・センターで講演された**浅田次郎さん**は、「一日4時間の読書時間を作っていて、**年に300冊**は本を読んでいる」そうで、「読んでいない人はこれからでも挽回できます。ただし、勉強で読もうとすると続かないので、楽しみながら読んでほしい」とも。

浅田次郎さんはプロの書き手ですが、つまりプロの読み手でもあります。読書そのものが日常であり、苦痛ではなく楽しさを見いだせるので、現役のプロ作家として続いているはず。

内館牧子さんは、OL生活に限界を感じるようになった30代後半、「脚本家になれます」という広告を見てシナリオ・センターの門を叩いた。

それまでまるっきり映画も観ていなくて、講師から「今のうちにできるだけ映画を観なさい」と言われ、退社後に教室と映画館に通いながら（当時はまだビデオもなかった）、**年間３００本の映画を見続けた**そうです。まさに挽回したケースでしょうか。

「精読」は不可欠

ともあれ、あなたが一般読者ならば、趣味として読書を楽しんで下さい。映画やドラマも同様で、観客として楽しむならば「おもしろかった」「つまらない」で終わって構いません。ただし、実作者になるためならば読書（や脚本家志望者に対しての映画・ドラマ鑑賞もですが、ひとまず読書に代表させます）は楽しむだけではNGです。

プロの書き手になりたいならば、（続けていくために）楽しみながらも、勉強するつもりで、さらに踏み入れるならば**〝盗む〟つもりで「読書」をすべき**だと私は思います。

で、問題は読み方です。本の読み方というと**「乱読」「速読」「精読」「熟読」**といった用語があります。

まず「**乱読**」はジャンルや好みとかにとらわれず、どんな本でも片っ端から読みまくることで、これは時間に余裕があって、体力（集中力）がないとできません。私も若い頃の一時期は、長編小説を毎日一冊ずつ、一気読みしたりしていました。内館さんの映画鑑賞は短期間のこの「乱読」に相当するのでしょう。

今では私もとても集中力が続かないし、浅田さんみたいに冊数はこなせません。せいぜい趣味で読む小説ならば、年間4～50冊くらいでしょうか。ただし、仕事としての小説や脚本、あるいはこういう指南書を書くための資料や関連本を加えると（たぶん）１００冊は越えますが。

それでもパソコンやスマホのネット関連に時間をとられて、読書量は圧倒的に減少しています。ましてやネットやらゲームやらあれやこれやと多忙な現代人は、乱読どころか読書そのものに時間を割くことは難しそうです。

次の「**速読**」。石田衣良さんの「１０００冊読め」を、短期間で実行するなら、このやり方なら可能かもしれません。忙しい現代人は一度はこれに憧れ、「速読術」の本とかを手に取ったりしたかもしれません。

ですが**作家志望者にとっては「速読」は無意味**です。

これに関しては、芥川賞作家の**平野啓一郎さん**が『本の読み方 スロー・リーディングの実践』（PHP新書）で、〝読書を楽しむ秘訣は、何より「速読コンプレックス」から解放されることである〟と述べています。

その理由として、小説のプロット（筋）にしか興味のない速読者には、小説の描写や細かな設定は無意味だけど、小説にとってはそこここそが大切で、それを読むべきだからだと。

平野さんの主張は〝「量」の読書から「質」の読書が大切で、一冊の本を、価値あるものにするかどうかは、読み方次第である。〟と。

つまり平野さんが主張する読み方こそが、**「精読」「熟読」**で、ただ読むだけでなく、〝盗む〟つもりの読書とするには、やはり「精読」が必要になるでしょう。

さて、ここが悩ましいのですが「精読」をしていたら、当然石田さんの1000冊なんてとても短期間で達成できません。つまり「質」を優先すれば「量」がこなせないし、その逆も同様です。

ならば、できるだけある程度の「量」をこなしつつ「質」も高める「読書」とする。浅田次郎さんは、**読書を生活の一部**としているがゆえにそれができているはず。ということは、**巧みな読書術**を身につけることで、「質」を伴いつつ「量」もこなせるようになるのです。

〝盗む〟つもりで読みなさい

では、**巧みな読書術を身につけるには**どうしたらいいでしょうか。

ある程度の「量」は必要なのですが、ただたくさん読めばいいというのではなく、できるだけ「質」も伴った読み方をすることです。つまりプロ作家のテクニックや小説手法、文章表現法などを〝盗む〟ための読書術をということになります。

繰り返しますが、浅田次郎さんがおっしゃるように、前提として「楽しむ」こと。映画やドラマも同様ですが、まずは一般読者観客の意識で鑑賞する。

で、一般読者ならば、読み終わっておもしろかったなら、感動や余韻に浸りつつ本を閉じればいい。つまらなかったらさっさと忘れる。より熱心な人なら、ブログや読書ノートに感想などを残すかもしれません。

ただ、書き手たらんとする人はそれだけではもったいないので、もう一歩踏み込んで、盗むために読む。具体的なやり方を述べますが、まったくその通りにしろ、ということではなく、参考の上で自分なりの方法を見つけて下さい。

具体的に説明します

まず「楽しむ」ことを優先させるために、**自分の好きな作家から入る**ようにします。昔熱中した小説の再読でも構いません。

当たり前ですが、できるだけ質の高い作家の小説を選ぶようにしたい。あまり偏ると拡がりが望めませんので、新しい作家や古典であっても、今まで触れていなかった名作とかにも拡げたい。そこまで踏み込めると、「質」と「量」の両方をこなせていることになります。**いい本**

を選ぶ能力は、その人の読書量や経験値と比例するからです。ちなみに、これは書く能力も同じです。

できれば、**エンピツ（マーカーでも）と付箋を常備**したい。当然それらはテキストですので、読み終わって古本屋さんに売るということはできなくなります。

読む前に**おおよその枚数（分量）を把握**しておく。短編と長編では作者のアプローチが違います。読み手もその作者の取り組み方を探りつつ小説世界に入っていく。

例えば文庫本なら、1Pが600字前後、つまり2Pで原稿用紙3枚程度と分かっていれば、おおよその長さが分かります。

さらに長編ならば、何章で**構成**されているか？　章立てをざっと確認します。書き手や作品によって各章の分量や配分が違います。長編にも短編連作形式もあります。

短編でも、一、二、三というような小章立てもあります。

内容のチェック法

後は読み進めていきますが、まずは**書き出し**。どういう場面なり空間（シーン）から入っていて、視点者と人称が誰かを把握します。

特に冒頭部分は大切です。作家は書き出しの一行目をどう書くか、全神経を注いで考えていますので、それを読み取ります。

そこから**冒頭のシークエンスで、その物語の天**（いつの時代、季節かなど）、**地**（設定、主たる場所や空間がどこか）、**人**（主人公、視点者、脇キャラ）などを、作者がどのように描いているか、設定しているか、分からせているか？

それからは**文章表現やキーとなる小道具、場所、人物**など、とにかく読み手であるあなたが気になったところを傍線や囲みでチェックしていきます。

このチェックも慣れです。あまりつけすぎると読み返しの時に乱雑になりますし、キーかなと思ったらさほど意味はなかった、という場合もあるでしょう。

ともあれそうした読み方をしているうちに、**自分なりのチェック法、基準**が身についてくるはず。

特に「ここは！」と思った箇所（文章表現として卓越している、セリフがうまい、場面としての見せ場など）は**チェックしつつ付箋**をつけておく。

そして、読み終わったら、まずは一般読者と同じように本を閉じて余韻に浸ります。作者が伝えたかったテーマを噛みしめたり、人物たちのドラマなどに思いをはせる。

それから**時間をおいてもう一度**開く。なるべく記憶の新しい内に再読をしますが、当然一回目と同じ読み方をしなくていい。クライマックスや結末を知った上で、全体像を俯瞰で意識した上で、チェックした部分を拾っていく。

こうすると作者の意図や作品にこめたテーマ性と、それをどう物語として組み立てていったかが見えてくるはず。もし期待外れだったとしても、「つまらなかった」と忘れ去るのではなく、その前にざっと振り返るだけで、そうなったのはなぜか？　が分かれば、盗むことができます。それら気づいたことを「読書ノート」として、**メモ書き**でいいので残していくこともオススメします。

平野啓一郎さんは「音読」や「書き写し」はあまり意味がないと述べていますが、作家志望者ならば、優れた描写、文章表現などは、リズムをつかむ**音読**をしたり、**文章の書き写し**をすることで身につけることができます。

ともあれ小説として通用する、さらには売れる小説とするには、**次のチェックポイント**を意識しながら「読書」をしましょう。これによって、「質」を維持しつつ「量」もこなせて作家としての蓄積になるはずです。

〝盗む〟ためのチェックポイント

□タイトル、ジャンル、分量
□そもそものアイデア
□題材や設定の新しさ、珍しさ、切り口など
□テーマの据え方、伝わり方
□登場人物の魅力、立体性
□章立て、構成の巧みさ、伏線とその回収
□先を読ませないおもしろさ
□的確な文章力・文体（読みやすさ、リズム、描写力）

著者

柏田道夫(かしわだ・みちお)

青山学院大学文学部卒。脚本家、小説家、劇作家、シナリオ・センター講師。95年、歴史群像大賞を『桃鬼城伝奇』にて受賞(2020年3月『桃鬼城奇譚』と改題し双葉文庫より刊行)。同年、オール讀物推理小説新人賞を『二万三千日の幽霊』にて受賞。映画脚本に『GOTH』『武士の家計簿』『武士の献立』『二宮金次郎』『島守の塔』(2022年公開予定)、テレビ脚本に『大江戸事件帖　美味でそうろう』、戯曲作品に『風花帖　小倉藩白黒騒動』『川中美幸特別講演　フジヤマ「夢の湯」物語』など、著書に『しぐれ茶漬　武士の料理帖』『面影橋まで』(光文社時代小説文庫)『猫でござる』①②③(双葉文庫)『矢立屋新平太版木帳』『つむじ風お駒事件帖』(徳間時代文庫)『時代劇でござる』(春陽堂書店)『シナリオの書き方』『ドラマ別冊・エンタテイメントの書き方』①②③『企画の立て方　改訂版』(映人社)『小説とシナリオをものにする本』『ミステリーの書き方』(言視舍)など。

装丁……………………山田英春
本文イラスト……………工藤六助
ＤＴＰ組版………………小牧　昇、勝澤節子
編集協力…………………田中はるか

編集協力……公募ガイド社
(東京都新宿区坂町27-5 市ヶ谷光風ビル7F
電話03-5312-1600　http://www.koubo.co.jp/)
……シナリオ・センター
(東京都港区北青山3-15-14
電話03-3407-6936　http://www.scenario.co.jp/)

※本書は『公募ガイド』誌連載中のコラム「実践シナリオ教室」を再編集、加筆し新章を加えたものです。
※本書は2015年12月刊『小説・シナリオ二刀流 奥義』の改訂版です。

「シナリオ教室」シリーズ
【改訂版】小説・シナリオ二刀流 奥義
プロ仕様　エンタメが書けてしまう実践レッスン

発行日❖2021年4月30日　初版第1刷

著者
柏田道夫

発行者
杉山尚次

発行所
株式会社 言視舍
東京都千代田区富士見2-2-2　〒102-0071
電話 03(3234)5997　FAX 03(3234)5957
https://www.s-pn.jp/

印刷・製本
モリモト印刷㈱

ISBN978-4-86565-200-0　C0374